DU MÊME AUTEUR

Romans

LES ANNÉES LUMIÈRE (Flammarion-Points-Seuil)

LES ANNÉES-LULA (Flammarion-Points-Seuil)

LE PORTRAIT OVALE (Gallimard)

MILLE AUJOURD'HUI (Stock-Poche)

FEU (Stock-Poche)

LE CANARD DU DOUTE (Stock-10/18)

LE TESTAMENT AMOUREUX (Stock-Points-Seuil)

LA LOI HUMAINE (Seuil)

LA NUIT TRANSFIGURÉE (Seuil)

VARIATIONS SUR LES JOURS ET LES NUITS (Seuil)

J'AVAIS UN AMI (Bourgois)

LE 8e FLÉAU (Julliard)

Théâtre

CAPITAINE SHELL, CAPITAINE ESSO (Stock)

LE CAMP DU DRAP D'OR (Stock)

LE PALAIS D'HIVER (Bourgois)

LA MANTE POLAIRE (Bourgois)

NA ET JUSQU'À LA PROCHAINE NUIT (Actes Sud-Papiers)

LES FAUCONS À LA SAISON DES AMOURS (Actes Sud-Papiers)

PHÉNIX

REZVANI

PHÉNIX

roman

GALLIMARD

Il a été tiré de l'édition originale de cet ouvrage vingt-cinq exemplaires sur vélin pur chiffon de Rives Arjomari-Prioux numérotés de 1 à 25.

à Danièle-Eleinad

« A l'origine l'écriture est le langage de l'absent. »

S. FREUD

I

« Je t'ai cherché toute la matinée. Je me suis perdu. Un peu avant d'arriver chez vous, j'ai tourné à droite et je suis tombé sur une vieille demeure en ruine au milieu d'un parc à l'abandon. Est-ce vrai qu'elle est à vendre? »

Tout a commencé par ces mots prononcés par Karlsen, le marchand de tableaux.

Il arrive de Milan. En plus de sa galerie de Paris, il vient d'ouvrir une galerie à New York. Il souhaite voir les tableaux que Cham Rutstein laisse pourrir dans le noir de son atelier fermé depuis des années. « Je suis un peintre mort, dit Cham en riant, mal à l'aise. — Mais justement, lui répond Karlsen en riant aussi. — Mais je n'ai aucune envie de te revoir, dit Cham, riant toujours. — Moi, oui, dit Karlsen. Où sont ces tableaux? Combien t'en reste-t-il? — Allons, si tu y tiens tellement, plus vite nous en aurons fini mieux cela vaudra. »

La répugnance que met Cham à montrer ses anciens tableaux réjouit Karlsen. Ils pénètrent dans l'atelier. Cham ouvre les fenêtres obstruées par les lierres et met dans le jour quelques-uns de ses tableaux.

Depuis l'époque où il tenait sa petite galerie non loin du marché Saint-Germain, Karlsen a pas mal changé. Ses cheveux sont toujours aussi drus mais ils ne sont plus tout à fait noirs.

A un moment il dit à Cham et Alex: « Celle-là, je la lui offrirai. » Il attend. Il aimerait que l'un des deux dise: A qui? Cham se tait. Alex aussi. Il dit: « Elle a vingt-cinq ans de moins que moi. » Il le dit avec un mélange de ruse et de fierté. Il touche les toiles de jeunesse de Cham, une à une, il les touche comme si elles lui appartenaient. Il dit: « Celle-là, celle-là... » Et les met de côté: « Avec celles que j'ai achetées dans différentes ventes publiques, il y a de quoi faire une belle exposition. — Je ne veux pas d'exposition, dit Cham. — Cela ne te regarde pas, dit Karlsen, les tableaux m'appartiennent et j'en fais ce qu'il me plaît. Je pourrais même les détruire si je le voulais, sans que tu aies rien à y redire. »

Pendant le déjeuner ils évoquent tous les trois l'époque où le jeune Karlsen venait acheter des tableaux au jeune peintre Cham. « Que tu dépréciais, lui dit Cham, pour le plaisir de me voir souffrir. » Karlsen rit et en convient: « Maintenant tu es à l'abri derrière tes livres. — C'est vrai, ces toiles sont de l'autre, et l'autre, figure-toi, est mort, hors d'atteinte. — Ah? Ah? » fait Karlsen. Et ils sortent dans le jardin suspendu. « Il y a quelques chances que vous m'ayez bientôt pour voisin. » Il pose sa tasse de café, il allume un cigare. Cham le regarde droit dans les yeux: « Je te préviens, Karl, si tu deviens mon voisin je ne pourrai pas le supporter. — Allons, allons, Cham! »

Du calme, se dit Cham, tu dois rester calme, très calme. Ne l'excite pas à propos de la propriété, ne parle pas de l'exposition non plus. Calme.

Karlsen s'en va. Après son départ une forte somme en espèces était là, sur la table... Et quelques œuvres de jeunesse avaient disparu de l'atelier.

« Le peintre mort est venu aujourd'hui se rappeler à celui qui écrit », dit Cham à Alex.

Merveilleux thème d'un ex-peintre qui, tout à coup, serait mis en tentation de peindre des tableaux de jeunesse, non pour les sommes qu'il pourrait en retirer mais dans l'espoir de retrouver par les gestes et le penser, par l'effusion que représente le maniement de la couleur, cet état de confiance envers la matière, ce bonheur du toucher depuis longtemps perdu, se dit Cham, un peu plus tard alors qu'il se trouve dans l'atelier bouleversé par le passage du marchand de tableaux. Il s'assied dans un coin et pense à la centaine de tableaux de jeunesse en oubli depuis tant d'années dans le noir de son atelier, et aussi aux milliers de pages qui n'ont jamais réussi à t'apaiser, se dit-il. Ta face refléterait donc l'insatisfaction de n'avoir pas réussi à te mettre en accord avec l'inconnu que tu es à toi-même, se dit-il encore en découvrant son reflet vague dans un sous-verre posé plus loin contre le mur. L'inconnu, devrais-tu dire, que tu deviens de plus en plus à toi-même à mesure que tu avances ; l'inconnu du dedans qui lentement émerge et vient troubler le visage de ta jeunesse. Ta jeunesse le refuse, celui-là, l'insatisfait qui ne cesse d'exiger plus, toujours plus jusqu'à la folie. Comment encore te surprendre ? se dit Cham immobile dans son coin d'atelier. Comment électriser ton sens du jeu ? Pourquoi ne ferais-tu pas des « faux » de tes propres tableaux de jeunesse ? Combien séduisante serait pour toi cette vie souterraine qui équivaudrait à vivre en quelque sorte dans ta mort sans être mort, être dans un temps détruit, retrouver les gestes et le regard de cette jeunesse que tu refuses de quitter, cette jeunesse qui est toi. Te voilà aussi vieux que ton père mort depuis plus de vingt ans. Pourtant rien ne semble faiblir en toi : ton corps va toujours avec le même entrain, il te sert sans jamais te rappeler qu'il est mécanique paraît-il vieille. Seuls les miroirs te feraient réfléchir.

L'homme là, à l'intérieur des reflets, a un visage qui t'est de plus en plus étranger. J'évite autant que possible de le regarder, de me dire devant lui : c'est ça moi? Je dirais toi, plutôt, je pense lui devant mon aspect — moi jamais, se dit Cham. A quel moment seras-tu accordé au je avec cet homme au visage étroit, aux cheveux abondants mêlés de mèches grises que tu aperçois chaque matin alors qu'il te faut le raser, le laver, l'encourager pour le reste du jour? Quand coïncideras-tu avec ça? avec ce labour? ce défonçage de ta face? Qu'as-tu vécu pour garder sur ta face ce martelage, ces crevasses?

Et il pensait à Karlsen, resurgi de leur temps de jeunesse. A son projet de s'installer dans la propriété à l'abandon, voisine de la leur. Où aller? Où fuir?

Quelques jours après, Alex et Cham partaient pour l'Italie.

II

A peine arrivés dans la ville sur l'Adriatique, le Dr V. (qu'ils ne connaissent pas) leur téléphone. (Karlsen lui a donné leur numéro.) Il souhaite les rencontrer le plus tôt possible. Ils ont la faiblesse de passer le voir dans l'appartement qu'il a loué derrière le marché au poisson. Le Dr V. est psychiatre — ou plutôt, il l'a été. L'homme s'est « détruit » volontairement. Il a dirigé une clinique psychiatrique de six cents malades. Voilà que brusquement, autour des années soixante-dix, il ouvre les portes de sa clinique et renvoie aux risques de la vie libre ses six cents malades mentaux. Cet acte « antimédical », dit-il, avait fait pas mal de remous, « si vous vous en souvenez? » Il répondait à ce qu'avait osé en Italie le Dr Basaglia en cassant la psychiatrie. Dans le grand appartement vide — à part trois chaises et un lit —, aux murs parfaitement nus, le Dr V. raconte son histoire. Il dit: « Je sais tout de vous, j'ai vu chez Karlsen vos tableaux de jeunesse, j'ai lu quelques-uns de vos livres, il faut que je vous dise un peu qui je suis. » Alors qu'il était responsable de son asile d'aliénés, il envoie au peintre Dubuffet un certain nombre de dessins de fous sur draps de lit. Enthousiasme de Dubuffet qui veut immédiatement le rencontrer. De la minute de cette rencontre date le renversement de la vie du Dr V. La parole de Dubuffet a sur lui une telle puissance qu'il « bazarde », dit-il, « ma vie bourgeoise » et se met en désir de peindre. Cet homme, qui jusqu'à présent se rassurait de son pouvoir, n'a pu supporter un si profond retournement sans que sa raison ne flanche.

Ils sont assis, tous les trois, Alex, le Dr V., Cham, sur les trois chaises de cet appartement vide. Le soir entre par les fenêtres sans rideaux, et le Dr V. leur dit que par la faute de la peinture il est en train de traverser une crise qui le terrifie. Il dit : « Je cherche à arrêter le temps, seule la peinture peut arrêter le temps, le geler, en quelque sorte... pendant que la folie, elle, emporte le temps... ou plutôt, le fou est emporté par le temps, et rien à quoi s'accrocher... » Il dégage, en plus d'une grande bonté, une faiblesse, une incertitude qui effraient. Il dit plusieurs fois en se passant la main sur le front : « Si j'arrive à peindre... Ah, si j'arrive à peindre... Ah, devenir peinture ! » Une immense panique rend son visage trop doux, un peu hagard. La destruction intérieure donne à ses mains une mollesse blanche lorsqu'il les porte à ses tempes pour dire qu'il craint « d'entrer en folie ».

« Et vous, dit-il à Cham, comment avez-vous pu supporter l'abandon de la peinture ? » Du calme, se dit Cham. Et il se met à sourire.

Plus tard, dans la nuit, Cham se trouve avec Alex sur la terrasse de leur maison dans la forêt. Il remarque, un peu au-dessus, dans les pins, treize bouquets de roses de couleurs différentes. Cela faisait une masse volumineuse et bizarre près de l'arbousier. Quelqu'un disait : « Ces treize bouquets ont été déposés là par vos amis. — Quels amis ? demandait Cham. — Tous les amis de votre vie », lui répondait-on. Ce rêve bref a jeté Cham hors du sommeil. Longtemps il est resté dans le noir près de son amour dont la respiration régulière l'apaisait. Il se sentait heureux par ces treize bouquets énigmatiques. Puis Alex s'est retournée d'un coup dans les bras de Cham — sans pour cela cesser de dormir.

Cet hiver, un peu avant la venue de Karlsen, un homme, quand il ne se servait pas de son vieux mulet, le hissait en l'air, attaché par les pattes postérieures. Le mulet pendait, la tête en bas. L'homme le hissait suffisamment haut pour que les passants ne se doutent pas de sa présence au-dessus d'eux. Révulsé par l'aspect douloureux et résigné du mulet suspendu, Cham supplia l'homme de le lui vendre. Il refusa. Et le mulet resta suspendu dans le rêve de Cham, et sa souffrance demeura en lui de nombreux jours. Ce n'est qu'après le départ de Karlsen, alors que Cham remettait de l'ordre parmi l'accumulation de ses tableaux, qu'il avait soudain pris conscience que le mulet suspendu la tête en bas se trouvait déjà comme transposé à l'état de carcasse dans les toiles de la fin: les toiles de post-jeunesse qui avaient précédé la « mort » de celui qui peignait, sa rupture avec la peinture et son entrée en écriture. Ce rêve avait troublé Cham. Que présageait-il? Serait-il venu après le départ de Karlsen le marchand de tableaux, j'aurais pu m'en rassurer, se disait Cham, en supposant qu'il m'avait été dicté par la vision fortuite de mes tableaux datant d'une période que ma pensée et mon œil refusent aujourd'hui. Mais ce qui m'obsède encore en ce moment c'est que ce rêve se soit produit avant la venue de Karlsen — donc avant que je n'entrouvre la morgue obscure qu'est devenu mon atelier, et ne remue le tas de tableaux de jeunesse qui l'encombre. De quel côté est ta folie? Peindre t'a rendu à demi fou. Ecrire aussi t'a rendu à demi fou. Comment te maintenir entre ces deux demi-folies qui n'en font pas une? se disait Cham en écoutant l'autre jour le Dr V. que la peinture (ou plutôt l'incapacité dans laquelle il se trouve de peindre) est en train de rendre fou — lui, l'ancien soigneur de fous. Dans la lumière du soir, les lunettes du Dr V. renvoient par brefs éclats les lueurs pourpres du ciel — que Cham ne voit pas : il tourne le dos à la fenêtre. Le Dr V. dit : « J'ai lu votre dernier livre. Attention. Méfiez-vous de vous. Pour moins que ça j'ai vu des gens souhaiter l'enfermement thérapeutique. — Quel livre ? demande Cham. — Vous le savez très bien. Méfiez-vous de l'état de solitude dans lequel vous enfonce l'écriture. — Je ne connais pas l'état de solitude, dit Cham, Alex s'est toujours enfoncée avec moi. — Alors, vraiment la peinture c'est fini ? Qu'espérez-vous des mots ? Croyez-moi, vous ne vous en sortirez pas avec les mots. Au contraire, ils vous enfermeront jusqu'à l'étouffement total. Je connais votre peinture. Ah, vos toiles de jeunesse ! — Ne parlons pas de ma peinture, dit Cham. Et si Karlsen vous a chargé de... — Pas du tout, Karlsen ne m'a chargé de rien. Vous sachant à Venise j'ai souhaité vous rencontrer. Ne l'oubliez pas : seule la peinture pourrait vous sortir de l'état de délabrement mental dans lequel vous êtes en train de vous enfoncer. — Mais je me sens très bien, dit Cham. — Tout le monde croit se sentir bien... jusqu'au moment où... »

Quelques jours après, le Dr V. leur avait dit : « J'ai loué cet appartement dans cette ville puante et délicieuse pour peindre. Avez-vous remarqué les tas d'ordures qui s'accumulent en ce moment sur les quais ? J'aimerais m'approprier ces ordures, les transmuer en art. »

Alex et Cham étaient retournés chez le Dr V. Il venait de recevoir une lettre de Karlsen. « Pourquoi avez-vous refusé d'assister au vernissage de vos œuvres de jeunesse ? Il est encore temps pour vous de voir l'accrochage. Voilà des billets d'avion. Karlsen tient à ce que vous alliez à New York, ne serait-ce que pour une journée. Il m'a chargé de vous convaincre. » Le catalogue est là, ouvert, sur une chaise. Il le prend, en tourne les pages. Pourquoi cette gêne, se demande Cham, à voir les reproductions de mes œuvres de jeunesse tourner entre les doigts du Dr V. ? « Vous devriez revenir à la peinture, croyez-moi. — Le peintre mort que je suis n'ira pas », dit Cham. Des années d'espoir et de furieux découragement sont là, sur ce catalogue. C'est de l'instant détaché de toi, pense Cham, de l'instant fossilisé. Les années en ont fait une monnaie comme passe de main en main une ammonite encroûtée d'or. De cela me voilà secrètement humilié pour celui — toi de tes vingt ans, trente ans... — Mes tableaux tombés dans les latrines du monde, se dit encore Cham, paraphrasant Luther.

La nuit suivante, impossible de dormir. Sans faire de bruit, Cham est passé dans la pièce où habituellement il écrit. Alex ne l'avait pas entendu se lever. Allongé sur le divan, il ouvre plusieurs livres au hasard. Il fait quelques pas dans la chambre ; il est au centre obscur et silencieux de la nuit et il ne coïncide avec rien de ce qui l'entoure. Le Dr V. t'a contaminé, se dit-il, calme-toi! Il est quatre heures de la nuit. Sur la table traîne le catalogue de ses œuvres de jeunesse.

Accoudé sur le divan, parmi les coussins, pour mieux présenter les reproductions à la lumière de la lampe, Cham passe d'une reproduction à l'autre. De moi! De moi! De toi tout cela! Quel moi? Quel toi? Où est-il ce toi? Refus... et attendrissement. Attendrissement? Non, pas attendrissement... Quoi alors? Effroi? Disons un attendrissement plein d'effroi. Quelle part de toi ces couleurs? Cham aimerait aimer ces tableaux. Il les désavoue. Ah, tu es en perte de couleurs! se dit-il. Et de nouveau l'envie de peindre de « fausses » œuvres de jeunesse, l'envie d'échapper, de reprendre sa vie à l'envers pour échapper, tourner le dos à la mort, au temps, détourner le temps, prendre à revers le temps, dévier le sens de la vie qui va. Te revivre à l'envers, se dit Cham toujours accoudé sous la lampe, repeindre à l'envers pour un peu moins te savoir mourir. Te remettre en couleurs.

Il retourne dans la chambre et se glisse près de celle que seules ses mains pouvaient voir maintenant. Il murmure : « Je t'aime », et s'endort immédiatement.

Il est cinq heures de la nuit. Douleur violente dans la tête. Tu devrais prendre une véganine, pense Cham. Mais son corps ne bouge pas. Un faucon le frôle en planant. Cham tend la main et le saisit au vol par les serres. Il reste accroché à ses doigts sans le moindre effarouchement. Cham le donne à Alex qui le prend contre elle avec un rire de bonheur. Ce rêve d'une netteté telle qu'il a effacé toute une série de petits rêves compliqués venus ensuite entre cinq et six heures et demie. Alex ne dort plus. Les cloches sonnent aux différentes églises de la ville. Cham se redresse dans le lit défait, près de cette femme couchée, découverte dans le matin. Son corps garde, délicatement imprimés sur les seins, sur les hanches, les plis du drap pareils à un fin dessin d'herbe. Elle s'étire, Cham l'embrasse sur tout le corps. Et tout en embrassant ce corps dont il sent sous ses lèvres les fins dessins d'herbe, il est dans le Pélion fleuri d'arbres fruitiers. Alex et lui viennent de traverser les neiges du col des Centaures, là d'où Jason était parti avec ses Argonautes, ils descendent vers la mer à travers les neiges rosées des poiriers en fleur, des cerisiers blancs, des pommiers neigeux de pétales... jusqu'aux orangeraies en fleurs et fruits bordant la plage. Il pense : Fuir ! Fuir avec Alex comme nous avions fui dans le Pélion. « Te souviens-tu de la maison en feuilles de béton au bord du torrent ? Qu'avions-nous fui jusqu'à cette presqu'île fleurie où les chiens noirs hurlaient dans les criques ? »

Comment semer Karlsen ? pensait-il alors qu'il se trouvait

assis devant le canal. Quelqu'un vient de lui poser la fatale question : « Et vous ne peignez plus ? Depuis combien d'années ne peignez-vous plus vraiment ? Vous avez peint vraiment pendant combien d'années ? — J'ai été sérieusement peintre pendant vingt ans. — Et vous écrivez depuis combien d'années ? — Vingt ans. » Cham avait ajouté, après un silence : « Je suis un peintre mort. J'en suis à ma deuxième vie. » Et maintenant ? se disait-il, et maintenant ? « Et visiterez-vous votre exposition ? Irez-vous ? — Non, dit Cham, je ne supporte pas de voir mes tableaux de jeunesse. »

Un peintre vieillissant, pour tourner le dos à la mort, pour inverser le temps, se mettrait à peindre de « fausses » toiles de jeunesse... Le pourrait-il ? Question que Cham se posait, tout en marchant avec Alex jusqu'à la pointe des Giardini. Accoudés ensuite, l'un près de l'autre au bord de l'eau ils sont restés un long moment, face au soleil, devant l'immense courbe d'eau. Un va-et-vient de bateaux agitait les reflets du ciel. Et il semblait à Cham que c'était le cercle des églises et des maisons qui ondulait dans la lumière trouble de cet après-midi de printemps. En réalité — et Cham ne le comprit qu'après coup — des sortes de spasmes contractaient son cerveau, des tressaillements brefs qui donnaient à sa vision ce quelque chose d'ondulatoire.

Un peu plus tard — ils venaient de prendre le thé —, au retour de cette marche, elle lui a dit : « Que je suis heureuse, quelle vie merveilleuse nous avons, mon amour. » Elle était assise derrière Cham sur le petit divan près de la fenêtre au couchant. Le ciel était couleur de mandarine au-dessus d'elle. Cham venait de se mettre à cette table et il allait écrire. Cette exclamation lui a donné envie de revenir vers elle pour la toucher de ses lèvres. Mais au lieu de cela il a noté sur un bout de papier les mots qu'elle venait de prononcer. Puis il fut trop tard. L'instant où il aurait pu se retourner et se lever était passé. Il murmura : « Oh, mon amour », craignant maintenant, par un geste trop vif, de troubler la parfaite immobilité de ce moment. « Heureuse » résonna longtemps dans le soir tombant. Cham était resté en étrange absence, sans bouger, à sa table, sans penser, sans écrire. Alex lisait derrière lui ; Cham entendait le froissement des feuilles qu'elle tournait de temps en temps, et il se disait : Pourquoi écrire lorsqu'il te serait peut-être si apaisant de te réfugier dans la production de « fausses » toiles de ta jeunesse ? Remonter le temps. En réponse : violente douleur dans la tête.

Il devait être minuit, en fin d'orage, alors qu'Alex et Cham se promenaient, bottés, en imperméables, le vent avait tourné d'un coup. Partis par un reste de pluie, ils étaient arrivés à la pointe du quai sous un ciel net, avec quelques étoiles d'un brillant vif à l'ouest. Presque chaque soir ils font ce trajet jusqu'à l'étrave du quai. Là, ils restent un moment puis, faisant demi-tour, ils repartent le long de l'eau. « Le vent vient de changer, avait dit Alex, je le sens sur mon visage. » Cham s'était tourné vers elle et il eut un choc. Sur fond d'eau luisante d'un noir gluant, elle se détachait, d'une beauté étrange et qui ne lui était pas familière. Une statue marchait près de lui, le visage touché de clarté, aux pommettes, au nez, au front, sa chevelure entièrement rejetée en arrière par le vent du nord, les pans de son imperméable flottant large de part et d'autre de son corps. Puis à mesure qu'ils revenaient tous les deux, et que les maisons du quai masquaient le vent, le visage de celle qui allait avec lui fut de nouveau enfoui sous le désordre de sa chevelure. Il tournèrent dans l'impasse et, comme chaque fois qu'ils rentraient dans l'appartement qu'ils louent derrière le quai,

Cham eut l'émotion de suivre Alex sous les lampadaires louches et de monter jusqu'à leur chambre pour la voir se déshabiller, elle et son double, devant l'armoire à glace à la Brassaï.

Sans faire de bruit, il s'était levé dans la nuit, il était venu, ici, à cette table, retenir ces images qui persistaient en lui et barraient son sommeil. Seuls, le va-et-vient du traghetto, son accostage au ponton et ses lentes dérives situent Cham en ce lieu, non loin du quai, en cette parenthèse qu'est cette ville aquatique. Tu devrais te véganiser, se dit Cham, pour tordre cette barre qui te traverse la tête. Il s'étend sur le divan. Il éteint la lumière. Pourquoi restes-tu là, seul ? Tu devrais aller t'allonger à côté, près d'elle. Mais son corps ne bouge pas, et ça pense ironiquement dans le noir : Re-peindre vraiment ? Pourquoi cette obsession de tes toiles de jeunesse qui ne représentaient que leurs propres couleurs ? se dit Cham.

Il allume la lampe. Comment, se dit-il, en souffrance de sa tête traversée d'une barre de fer, comment peindre, comment écrire quand les mots, ainsi que les couleurs ont glissé de leur sens ? Il se lève et, tout en marchant à travers la chambre, il dit à haute voix : « Les tas d'ordures du Dr V. ! — Tu ne dors pas ? demande-t-il à Alex à travers la cloison. — Non », dit-elle. Et il vient près d'elle. Il pose ses mains sur son corps : « Perpétuer par l'écrit les traces des états momentanés de notre vie serait-il amoral ? Plus amoral que la trace peinte des états momentanés de notre vie ? » La question de Cham l'étonne. Elle dit : « Tu te demandes si écrire à la première personne serait amoral ? Plus amoral que peindre à la première personne ? — Oui, pourquoi ne pas étendre à la peinture cette question que Musil se posait ironiquement pour l'écrit, dit Cham ; pourquoi la trace matérielle du mouvement de la main serait-elle moins amorale que la trace matérialisée des émotions d'une pensée en mouvement ? »

A l'aube, le téléphone sonne. La logeuse du Dr V. leur apprend que des carabiniers viennent d'arrêter en pleine nuit celui qui avait abandonné la psychiatrie pour devenir peintre.

Qu'a fait le Dr V. ? Il se serait intéressé d'un peu trop près à un tas d'ordures contre lequel les carabiniers l'auraient trouvé assis ? agenouillé ? à plat ventre ? Le Dr V. avait essayé d'expliquer qu'il observait d'aussi près que possible le tas d'ordures dans le but d'en tirer des tableaux. Comme il ne parle pas l'italien cela ne l'a rendu que plus suspect. « Bomba », répétaient les policiers qui le traînaient vers leur motoscafo, le prenant pour un terroriste français. Un coup de téléphone du consul de France et tout est arrangé. Le nom de Dubuffet suffit à donner au tas d'ordures du Dr V. sa valeur artistique. Tel est le culte effréné du peuple italien pour tout ce qui peut être nommé art.

III

Les reflets des lumières avaient un aspect gluant, l'eau ressemblait à de la toile cirée noire. Ça sentait l'œuf pourri. L'air était humide, d'un froid sans netteté. Alex marchait vite près de Cham, légère, flexible au-dessus de l'eau, sur ses escarpins de vernis noir dont les pointes faisaient des étoiles. Le canal débordait sur le quai, de minces vagues venaient toucher les pieds d'Alex, l'obligeant à une sorte de danse vive jusqu'à ce qu'elle se soit réfugiée au sec dans le hall du consulat. En montant l'escalier, Cham entendit une voix qui disait: « Il y a des gens qui sont socialement normaux tout en étant mal en point comme artistes. » Se retournant, il voit deux hommes qui les dépassent. « Un écrivain peut avoir quelque maladie mais pourtant, comme écrivain, être en bon état. — Si un être en bonne santé est mauvais écrivain, eh bien c'est un écrivain malade. — Si quelqu'un de malade est bon écrivain, il fait partie des écrivains qui sont en bonne santé. » Les deux hommes passèrent vite en grimpant quatre à quatre et c'est tout ce que Cham put saisir de leur conversation.

Dans le vaste piano nobile se pressaient tous les écrivains qui séjournaient en ce moment dans la ville. Se situer, tout à coup, dans cette foule fut pour Cham comme un brusque réveil, nu, sur la crête d'un toit. De quel côté tomber? Il lui semblait être nulle part, ou plutôt s'être arraché du dedans de lui pour se trouver projeté parmi des femmes et des hommes qui savaient une partition qui ne lui avait pas été communiquée. Ces gens étaient là depuis des siècles, seuls leurs vêtements avaient un peu bougé sur eux au cours des temps. « Cham, comment te sens-tu ? » avait demandé Alex. Comment aurait-il pu lui expliquer l'état de décalement où il se trouvait ? Les gens marchaient à travers le piano nobile du consul en tenant devant eux des assiettes pleines et mangeaient debout. Cham s'était calé dans une encoignure contre une des grandes fenêtres qui plongeaient sur la nuit mouillée.

A un moment quelques invités s'étaient approchés des fenêtres et les mots acqua alta passèrent, murmurés. Vu d'en haut, le quai s'était pas mal enfoncé et des vagues glissaient comme une peau transparente sur la surface des pavés. « C'est merveilleux, dit la jeune amie du consul, vous resterez tous coucher au consulat. » Ils ne couchèrent pas au consulat mais la marée les retint jusqu'au milieu de la nuit. Juste ce qu'il fallait d'enfermement pour rappeler la menace qui plane sur tout acte de la névrose sociale. A un moment, quelqu'un dit : « Savez-vous que Primo Levi s'est suicidé ce matin ? Il aurait été prendre son courrier chez sa concierge puis, remontant trois étages, il se serait jeté dans la cage d'escalier. » Cham se disait : Le poids des morts ? Comme la sœur de ta mère, aux derniers jours de la guerre. En se jetant de ce balcon avait-elle voulu, elle aussi, *rejoindre* ses morts ?

Personne ne parlait plus de Primo Levi. Les conversations allaient vite dans le salon du consul. Enfoncé dans un canapé, Cham pensait à un écrivain proche, suicidé, dont la mort l'avait précipité dans une brève folie et à propos duquel il avait écrit ce livre que le Dr V. avait mentionné l'autre jour. Et il se disait que la mort de cet écrivain n'aurait pas dû le frapper plus que celle de Primo Levi et que s'il s'était cramponné à sa mort c'était par peur de se laisser distraire par la vie, et que tout ce qui pouvait le décourager ne pouvait en réalité que l'encourager à aller par le fond et donc d'extraire de lui cette sorte de ferment déposé par la vie dont jusqu'à présent il s'était servi, que ce soit pour peindre ou pour écrire. Tu veux souffrir, se disait-il, tu as besoin de souffrir, insistait-il, tu n'as rien fait pour refuser le travail de souffrance qui se faisait à côté de toi en larmes d'encre. Larmes d'encre vraiment? se disait-il en souriant pour lui-même. Oui, je maintiens.

Autour de lui les conversations allaient de plus en plus vite. Erreur, se disait Cham, d'avoir tracé les premiers mots. Ensuite tu n'as eu qu'à te laisser aller à souffrir tout en tenant ta souffrance d'une main ferme et d'un esprit lucide. Près de lui, dans le coin du salon, quelques écrivains italiens rient en se passant un hebdomadaire français. Le nom de Blanchot est prononcé. Pourquoi le nom de Blanchot les fait-il tant rire? Sur la page grande ouverte les photographies de quelques écrivains « sans visage ». Coïncidence que Cham est seul à savourer: ses pensées retournent à son ami l'écrivain suicidé dont jusqu'à une date récente il n'avait jamais vu le visage. Il pensait au visage jusqu'à présent inconnu de l'écrivain suicidé découvert dans ce film vidéo qui lui était parvenu six mois après la nouvelle de sa mort. Jusqu'à ce qu'il reçoive ce film, il n'avait même pas essayé d'imaginer le visage de son ami jamais vu. D'échanger lettres et livres leur avait suffi à l'un comme à l'autre. Combien Cham redoutait de se trouver en face de l'image vivante de l'ami mort! D'entendre sa voix, de voir bouger le spectre de l'ami jamais vu. Ah, comme il redoutait cela! Et jusqu'au dernier instant il fut sur le point de jeter la cassette vidéo — ce que tu aurais dû absolument faire, se dit-il dans le salon du consul. Mais l'ami inconnu avait pris forme dans le non-lieu de l'écran. Le voilà! Ah! Le voilà! Le voilà, dans le bonheur de l'ombre et du soleil: un homme mince tient par la bride un splendide cheval. Ah! c'est lui! L'ami inconnu parle, il ironise, il est au meilleur de sa vie. Il est vivant, là, dans cet espace de lumière depuis longtemps morte. Le cœur de Cham battait à l'étouffer. Cham était en telle crainte d'émotion. Il s'attendait à un terrible bouleversement, à une émotion trop difficile à contenir. Mais il avait eu la surprise de rester sec. Pourtant c'était lui, là, celui dont la mort choisie avait ralenti pendant près d'un an la vitalité de Cham. Est-ce possible! L'image était en train de tuer l'ami jamais vu... de tuer en toi, se disait Cham, celui dont tu ne savais jusqu'à présent que les écrits. Voilà ce que Cham ressentait avec un mélange de honte et d'effroi alors que se déroulait le film: l'image annulait le mystère. Et, à mesure que le spectre de son ami mort parlait, se faisait en Cham une délivrance. L'image de l'ami mort le délivrait. Délivré! Enfin, tout se remettait en place. Trop d'images! Plus d'imagination! Il venait de sortir de l'obscurité de son imagination pour entrer dans la représentation. L'ami jamais vu l'avait quitté en prenant forme. Pour la première fois depuis son suicide, l'homme avait repris sa place hors de Cham.

Selon les allées et venues au buffet, plusieurs fois dans la soirée les groupes d'invités s'étaient défaits et reformés autrement. Maintenant Cham se trouvait debout dans l'encoignure d'une des hautes fenêtres du piano nobile du consul et il constatait avec un certain agacement que l'eau avait encore sensiblement monté depuis tout à l'heure. De brusques jets de pluie battaient les vitres avec un bruit de sable.

« Sirocco. »

Quelqu'un, près de lui, parlait en riant de la vague qui un jour déferlera par-dessus le Lido et emportera une fois pour toutes la ville malade. Retournant près d'Alex, Cham s'enfonce de nouveau dans un coin de canapé. Le vent frappe la ville, la ville entière grince enchaînée comme sont enchaînés ses pontons, se dit Cham. Apparemment il était calme. Très calme! La ville monte et descend, secouée par la tempête. Te voilà encerclé. Il veut sortir. Il se lève mais la jeune amie du consul ouvre une porte donnant sur l'escalier d'apparat dont les dernières marches disparaissent sous une eau très noire. « Le hall est envahi, vous êtes nos prisonniers. » L'amie du consul entraîne Cham vers le buffet. Quelqu'un s'approche: « Vous ne peignez vraiment plus? — Non, dit Cham, je me dépeins. »

Un peu plus tard quelqu'un d'autre lui parle de son dernier livre. Folie de t'être mis à l'écriture. Tu t'es exposé nu, sans nulle part de repli. Autour, différentes conversations vont ensemble. Alex est maintenant debout, loin de lui. De là où il se trouve, il la voit à contre-jour, un peu déhanchée. « *Il est merveilleux que je sois en existence en même temps que toi* », écrivait Saadi de celle...

Elle se dirige en riant vers le buffet. Un homme suit Alex.

Quelqu'un se penche sur Cham: « On dit que vous écrivez des libres? Et je vu le scatalogue de vos peintures. Qui êtes-vous? — Je suis comme ces crabes tourteaux qu'on jette vivants dans l'eau bouillante et qui sous le choc de l'ébouillantement ramassent leurs pattes si fort qu'elles se brisent aux jointures. Par ces brisures une mousse insipide file dans l'eau de cuisson. La précieuse matière comestible est gâtée, et il ne reste que la carapace à jeter. Barre douloureuse dans la tête. Cham se lève. Ta carapace craque, se dit-il, tout t'ébouillante et te brise aux jointures. Il retourne à la fenêtre. La pluie horizontale brouille les lumières des lampadaires du quai, les délaie comme s'il s'agissait d'une matière pareille à du jaune d'œuf. Dessous, l'eau semble avoir encore monté. Il est trois heures et demie du matin.

« Sans notre sympathique consul je serais encore en prison. » Cham se retourne. Le Dr V. est près de lui. « Alex m'a dit que vous ne vous sentiez pas bien. — En effet, dit Cham, j'ai l'impression de craquer de toutes parts, d'être moi et de ne pas être, d'être ici et de ne pas y être, de ne plus savoir si je vous vois ou si je vous imagine. »

Il tourne le dos au Dr V., appuie le front contre la vitre frappée de pluie. Fraîcheur. Derrière lui des voix françaises et italiennes. « Cette ville vous met soit en désir de protection, soit de fuite, dit le Dr V. Ce liquide que vous voyez battre en ce moment le socle du consulat, cette pourriture adriatique tirée et refoulée en marées minimes s'installe si profond en vous qu'il vous faut sécréter comme une structure externe pour vous contenir: une nacelle, une enveloppe solide pour vous protéger et vous porter parmi ces eaux. »

Cham s'éloigne de la fenêtre. Le Dr V. le suit. Ils rejoignent Alex au centre du piano nobile. « Pourquoi vous nomme-t-il différemment d'un livre à l'autre? Pourquoi Alex? » Elle rit: « Mais je m'appelle vraiment Eleinad-Alexandrine. — Il vous peint, il vous écrit, cela ne vous inquiète pas d'être dépossédée? Vous reconnaissez-vous dans ce qu'il vous prend? » Il l'entraîne et lui parle à l'oreille.

Un peu plus tard, Alex reprenait son pas dansant entre les flaques, sur le quai mouillé où les hautes eaux avaient laissé des quantités de petites ordures. A l'instant où ils allaient tourner dans l'étroite impasse qui mène à leur appartement, surgit sous un lampadaire un homme aux vêtements sales et trempés. Cham le reconnaît pour l'avoir souvent croisé sur le quai. Il ressemble à son père. Il couche à même le quai parmi des sacs en matière plastique où il entasse ce qu'il trouve dans les poubelles. D'habitude, il passe son temps à lire au soleil les livres déchirés qu'il puise dans les ordures. La montée des eaux, cette nuit, a dû le surprendre en plein sommeil, et maintenant il attend le jour pour se sécher. Il est là, devant leur porte. Au moment où Cham lui donne quelques billets, il remarque un long sexe blanchâtre qui pend hors de la braguette de l'homme.

Il devait maintenant être cinq heures du matin. Une femme en noir s'est assise sur le bord de leur lit. Cham ne la distinguait pas bien; elle était sombre, dans un contre-jour qui ne laissait que sa silhouette bien nette. Il ne pouvait apercevoir son visage, pourtant il savait qui elle était. Alex dormait près de lui. Il toucha doucement sa hanche et dit sans émettre aucun son: « Quelqu'un est là. » Elle ne l'entendit pas. La femme posa la main sur le visage de Cham et fit: « Chut. » Cham voulut s'asseoir mais la main sur son visage le força à rester dans la position où il se trouvait. Il faisait chaud, Cham sentait sa nuque mouillée de sueur. La femme prononça quelques mots en russe puis en yiddish. Cham voulut faire un signe de la tête pour montrer qu'il ne comprenait pas mais la main l'en empêcha en s'enfonçant dans son visage. Il sentait nettement la chair de ses joues et la peau de son front se ramasser en bourrelets entre les doigts qui le pressaient, comme si sa tête n'était qu'une motte de glaise. Il n'éprouvait aucune souffrance, pourtant les doigts s'étaient refermés en lui et ne faisaient plus qu'un poing bien serré à l'intérieur de l'endroit de sa pensée. La femme prononça quelques paroles dans une langue qui n'existait pas mais ces paroles Cham les comprit. Elles signifiaient: Maintenant je te donne ta langue. Immédiatement il se mit à parler dans une langue qu'il ne connaissait pas mais qui sortait de sa bouche avec une facilité délicieuse. Cham éprouvait un plaisir sensuel à laisser sortir de lui cette parole neuve, harmonieuse comme un chant.

La femme en noir se leva et s'en alla. Cham l'appela. Elle ne se retourna pas.

Il faisait lourd et humide. Des sirènes sonnaient quelque part au loin. A mesure que Cham reprenait conscience, il ne savait plus en quel lieu il se trouvait. Quand ? Et surtout qui il était. Peu à peu il se situa. Et soudain il comprit que c'était bien sa mère enterrée dans le ghetto de Varsovie qui s'était assise au bord de leur lit. Cham se leva et courut à la fenêtre. Dans l'impasse, à l'endroit où il l'avait laissé cette nuit, se tenait, enfoncé dans l'eau jusqu'aux genoux, l'homme qui ressemblait à son père. Un peu plus loin, fugitivement, Cham reconnut la silhouette de la femme en noir. Lentement, elle aussi s'enfonçait dans l'eau.

Plus tard, alors qu'Alex et Cham marchaient par la ville encombrée de déchets que les hautes eaux avaient abandonnés en se retirant, un pigeon qui venait de frôler leurs têtes s'était abattu devant eux. Ses ailes remuèrent un peu sur le sol souillé puis il ne bougea plus. Cham le ramassa. Il avait un peu de sang au coin du bec. Brièvement l'œil de l'oiseau s'était entrouvert puis refermé. La tête avait penché. Il les avait frôlés d'un vol libre, rapide, et le voilà mort. Au moment où il le déposait sur une marche de marbre, Cham s'aperçut que les plumes irisées de sa gorge perdaient leur luisant, qu'elles devenaient ternes et fripées. Terrible ville qui réussit à transformer des oiseaux libres en ce pullulement de bêtes rampantes sur lesquelles on marche à chaque pas. Cham et Alex vont par les rues obstruées de tréteaux. Le sirocco fait claquer sur leurs cuisses les pans de leurs impers. De brusques pluies horizontales les frappent en pleine figure. Encore un pigeon mort. Puis un autre. Et encore un autre. Cham en compte cinq au milieu des détritus amassés entre les barques. « Quittons cette ville, dit-il à Alex. Besoin de m'enfermer dans notre maison parmi les collines. »

Alors qu'ils pénétraient chez Cook, un homme s'approche de Cham. « Je vous cherche depuis deux jours. J'ai vu à New York l'exposition de vos tableaux de jeunesse. Je souhaite vous en acheter. — Ces tableaux ne sont pas de moi », dit Cham, et il se détourne de l'homme sans dissimuler sa mauvaise humeur. Ils réservent leurs places pour le surlendemain et ils sortent. De nouveau des sirènes sonnent sur la ville. Une seconde forte marée est annoncée pour la nuit. Alex et Cham traversent la Piazza dont le sol humide disparaît par endroit sous des masses de pigeons. Nombreux sont malades. Ils boitent, et la plupart sont incapables de s'envoler. L'homme de chez Cook les rattrape. Il dit en riant: « Karlsen m'avait prévenu... » Cham s'arrête brusquement et saisissant Alex par le bras, il change de direction. Après avoir fait un détour par d'étroites rues encombrées d'ordures, ils passent l'eau, debout tous les deux sur une barque maniée par de jeunes rameurs, et rejoignent le quai un peu à l'est de là où ils habitent. Ici le vent est dur, il faut le fendre pour avancer. Des nuages bas viennent à leur rencontre.

Le lendemain, le Dr V. dit à Cham qu'un ami de Karlsen le cherche dans la ville. Il est venu chez lui. « Nous avons parlé de vous et de vos tableaux de jeunesse. — Mais je ne veux pas que vous parliez de moi », dit Cham. Depuis son arrestation sur le tas d'ordures, comme si d'avoir été maltraité par la police lui avait servi d'initiation pour mieux pénétrer cette ville, le Dr V. se sent en paix maintenant dans ces eaux. « J'ai un dossier au commissariat, dit-il et lorsque

j'y suis retourné, les policiers m'ont traité avec déférence. »
Il continue à se passionner pour les accumulations de déchets
et projette une exposition chez Karlsen, à New York, « de
mes travaux sur les incinérations d'objets en plastique »,
dit-il en secouant son corps pâle et mou d'un rire silencieux.
« C'est bon de se sentir enveloppé. » Il fait quelques mouvements ondoyants comme s'il ramassait avec ses mains toute la
ville autour de lui. « Mais vous ça n'a pas l'air d'aller du
tout? » dit-il en observant Cham avec un air de réelle bonté
(il est myope). « J'ai hâte de partir », dit Cham. De grands
bateaux porte-containers passent en direction de la terre
ferme dont les lumières s'allument au loin en forme d'arcs et
de tours nervurées de points rouges. Deux détraqués face à
face, se dit Cham: le Dr V. pour s'être libéré en lâchant six
cents fous, moi pour m'enfermer sur le papier avec mes six
cents peurs et les textes que me dictent mes peurs comme il
arrive à certains rêves de franchir la barre du sommeil pour
venir agoniser au milieu des réalités du jour. Ah! Ecartelé!
Tu es né d'une femme occupée par la Mort. Avant de savoir
la Vie tu as su (par elle) la Mort. Et la trace de ça, tu la lis dans
tout ce qui sort de ta main. Au premier jour il y a la douceur,
il y a la gaieté, il y a le rire qu'une lente taie commence à
recouvrir. Pendant que celui de la surface, doué, joyeux, de
relation facile chante, l'autre, dans une zone cachée sous la
pellicule des jours simples, s'impatiente, étouffe, se débat
exaspéré par de continuelles visions que celui de la surface
réprime comme on maintient bord à bord les deux lèvres
d'une plaie. Mais le dedans presse par-dessous et bat. Le
dedans ne peut rester comprimé, il jaillit et déprime la
lumière. « Et voilà que la main qui crée — qu'elle peigne ou
écrive — se met à vibrer, elle semble douée d'un esprit qui
n'est pas mien: quelqu'un en moi, comprenez-vous, docteur, joue de ce qui se crée. Et ce quelqu'un n'est pas moi.
Ce quelqu'un m'agit. Il me bouscule **du** dedans. Et si je

parle, dans ce moment, les sons sortent de mes lèvres sans que je me rende compte que mes lèvres bougent et parlent. L'histoire est toujours la même: on égorge un enfant. La vision est immuable: le meurtre se commet sous toutes sortes de formes. Qu'on dissèque le cadavre d'un vieillard dont personne n'a réclamé le corps, qu'on enclose des peuples dans des zones barbelées, qu'on humilie, qu'on tue ou qu'on violente jusqu'au plus infime aspect de la vie, toujours et toujours je vois en projection par-dessus la surface que traversent des actions trop décidées, je vois la main, le couteau, partout je vois l'enfant qu'on tue. » Au même moment passe sur le quai l'homme de la nuit précédente. Il marche, l'air accablé. Il tient des sacs en plastique remplis de livres et de vieux journaux. Ses vêtements sont trempés, il ne les a pas séchés depuis la marée précédente. Son sexe ne pend plus et sa braguette est fermée. Le Dr V. dit: « Encore une victime de l'ancien système psychiatrique. Il est évident que cet homme a passé sa vie enfermé. Voyez comme il penche la tête en marchant. Rien d'étonnant qu'il exhibe son sexe. J'en avais par dizaines comme celui-là lorsque j'étais médecin-chef de mon petit enfer de six cents malades... »

Cette même nuit, couché sur le dos, Cham écoutait les hautes eaux battre les maisons de l'impasse. Trois heures et demie, quatre heures, cinq, six. Bientôt les cloches vont sonner et il ne restera plus qu'une heure avant huit. Et il se redisait: Tout ce que tu as peint autrefois, tout ce que tu as écrit jusqu'à présent est sorti de cette lutte de toi et toi, cette dualité entre celui qui chante et celui qui s'enfonce. Tes premiers mouvements sont toujours heureux et c'est vers les autres qu'ils vont. Mais à mesure que le charme s'impose et qu'arrive le succès, au lieu de poursuivre dans la voie qui semble si bien te réussir, en toi se fait un brusque refus, l'autre se met à distordre ta création, à la tirer vers les ténèbres. Et c'est la mélancolie solitaire qu'il te faut vivre dans le silence jusqu'à ce que lentement tes facultés créatrices sortent de leur état d'insensibilité. L'autre en toi s'efface. De nouveau tu te surprends. Ces naissances et ces morts successives se sont répétées régulièrement au long de ta vie. Tu en vois les traces stratifiées lorsque tu mets en confrontation, époque par époque, tes tableaux. Et Cham se dit avec un amusement écœuré — pendant que les cloches commencent à battre de plus en plus fort au-dessus de sa tête — Cham se dit: Tu es comme cet embryon coupé en deux parts rigoureusement semblables: l'une, implantée dans une mère porteuse, donnera vie à un enfant parfaitement formé, pendant que l'autre sera développée par des moyens artificiels dont on obtiendra un amas d'organes de rechange que l'on gardera en réserve dans une banque. Ainsi, celui des deux embryons qui aura droit à l'existence pourra prélever pendant la durée de sa vie des pièces de rechange sur son « frère » maintenu en état de viande inconsciente. Ton atelier n'est-il pas cette banque de pièces de rechange dans laquelle tu sais qu'il te sera toujours possible de puiser si tu te trouves trop enfoncé dans les impasses de l'écriture ?

Près de lui, Alex doucement s'éveille. Et Cham se dit qu'après tout il ne doit pas repousser Karlsen, que chaque toile de jeunesse qu'il lui sera possible de vendre, à travers K., le marchand de tableaux, renforcera sa liberté de poursuivre son travail d'écriture... en même temps il craint l'importance que K. risque de donner à ces tableaux de jeunesse enfermés depuis tant d'années dans la morgue de son atelier.

Réflexions mélancoliques qui ont poursuivi Cham pendant toute la journée de leur départ alors qu'apparemment gai il aidait Alex à ranger l'appartement et à faire les bagages. Ce soir ils prennent le train ; demain ils seront chez eux.

A la fois impatients et étreints de quitter la ville liquide.

Partout dans les rues et le long des petits quais, délice du brouillard gris-bleu des glycines dont les fleurs commencent à pendre au-dessus des têtes. Les rossignols chantent chez nous, se dit Cham, et sur l'eau des bassins de la source doit flotter déjà une pellicule de pétales mauves tombés de la treille. Intense besoin de solitude et de concentration.

IV

Il faudrait, se disait Cham dans le train, en se retournant sur sa couchette, il faudrait qu'on t'enlève ce point exact du cerveau où Karlsen le marchand s'est introduit: celui qui tant de fois t'a assassiné à travers tes tableaux alors qu'il était ce qu'on appelle un jeune marchand, et toi ce qu'on appelle un jeune peintre. Comment l'expulser de cette part de toi que le sommeil brisé par les cadences du train rend sans défense? Mais la part maladive de ton esprit, celle qui prolifère un peu au-dessous de ta conscience, s'obstine à retenir la présence de Karlsen. Et chaque fois qu'un glissement de ta lucidité commence à l'estomper, cette part maladive le reprécise, t'en rend prisonnier.

Par moment Cham entrouvre les yeux et il voit sur la couchette d'en face Alex endormie, son épaule claire, la masse de ses cheveux dont une partie retombe et se balance au rythme du train. Il concentre son regard sur son amour espérant distraire son esprit de la présence parasite de Karlsen.

Du calme, se dit Cham dans la cabine où les voilà enfermés en répugnante promiscuité avec deux retraités allongés au-dessus de leurs têtes. Au moment de monter sur sa couchette, le vieux avait dit en plaisantant: « Vous pourriez,

41

si vous le vouliez, nous scier les barreaux. » Quelques instants après il s'était mis à ronfler.

Dans la nuit, Alex réveille Cham : un type vient de forcer la porte (malgré le loquet de sûreté fermé). Découvrant dans le noir les yeux d'Alex grands ouverts, il s'était sauvé. Cham sort dans le couloir et voit quelqu'un de dos qui se précipite dans le wagon suivant. Il reste dans le couloir à regarder la nuit derrière la vitre noire... son reflet détérioré sur la vitre noire. Le vieux de la couchette du haut vient le rejoindre. Il ne dormait pas, il a vu l'homme pénétrer dans leur compartiment puis se sauver. Surgit un type. Il marche sur les pieds du vieux. Il va vers le wagon suivant, revient, marche encore sur les pieds du vieux et passe dans le wagon précédent. Le train s'arrête à Milan, puis repart. Cham dit : « Il faudrait coincer la porte avec l'échelle. » De l'avoir dit lui rappelle la réflexion du vieux : « Vous pourriez, si vous le vouliez, nous scier les barreaux. » « Ah, non, pas question ! » s'écrie le vieux, il craint de se trouver bloqué avec sa vieille dans les couchettes du haut, sans échelle. Il dit : « Je ne dors jamais dans le train car j'ai peur de ronfler. » Un moment après il ajoute : « Nous pourrions établir un tour de garde. » Il ne veut pas se priver de l'échelle. Il a un gros ventre rond et des mains de bébé. Cham prend un extrême plaisir à lui faire peur. Il lui dit qu'à Venise, au consulat de France, on prévient les gens du risque qu'il y a à prendre le train de nuit. La plupart des agressions se produisent justement aux environs de Milan, entre Milan et Gênes. « Même si vous bloquez le loquet avec l'échelle, dit Cham, ils (les voleurs) arrivent à le débloquer en le secouant régulièrement dans le rythme contraire à celui du train. Ensuite ils glissent par la porte entrebâillée le bec d'une bombe somnifère, endorment les voyageurs et les dépouillent tranquillement. (Le vieux jette des regards inquiets d'un côté à l'autre du couloir désert.) Ils balancent les bagages par les fenêtres et abandonnent les dormeurs nus sur leurs couchettes. » Dans ce train qui fonce à travers la nuit, Cham continue à démoraliser le vieux de la couchette d'en haut, si bien qu'à la fin il rejoint la vieille restée aux aguets à laquelle il répète ce que Cham vient de lui raconter.

Rien n'avait bougé en leur absence: les portes et les fenêtres sont intactes; personne ne s'est introduit dans la pièce où Cham écrit ni dans l'atelier. Ce n'est pas encore cette fois, se dit Cham, qu'il te sera intolérable de reprendre ta vie dans cette maison, ce piège délicieux, que par moment tu imagines, avec une secrète délectation, saccagé par une bande de cambrioleurs qui seraient passés en trombe à travers ces pièces silencieuses encombrées par les livres et les tableaux.

Avant même de défaire les bagages, Cham et Alex s'installent au soleil pour lire et trier le tas de lettres accumulées pendant leur absence. Ils ont tous les deux l'impression de commettre une indiscrétion en ouvrant ce courrier resté à l'abandon. Lettres d'amis, lettres d'inconnus, impression pour Cham de ne pas être celui auquel elles s'adressent. Alex les ouvre et les lit à haute voix pendant que Cham écoute distraitement. Bonheur d'être de retour... bonheur et enfoncement. L'enfoncement le met à vif et lui fait ressentir encore davantage l'ivresse d'être en ce lieu de perfection avec celle de sa vie. L'ivresse d'être avec celle, ici, dans ce jardin isolé au milieu de la forêt, le renvoyant à son enfoncement: jamais en paix, se dit-il, non, jamais en paix, toujours à l'affût du malaise qui vient distordre la sensation, qui vient mordre sur ton exaltation.

Assis au soleil, les épaules appuyées à la vieille façade dorée, Cham laisse son regard descendre dans le vallon. Tout est bien là. Les arbres, les murs, la structure entière du jardin étagé jusqu'à la source dont il perçoit le bruit d'eau vivante. Regret diffus mêlé au plaisir, comme une nostalgie de destruction, appel du désastre sur toute cette sérénité. De tout ce qui est ici, trouble déception de le découvrir intact. Ecartèlement secret, peur de te trouver mal d'être bien, qui t'a depuis toujours fait souhaiter et à la fois redouter le désastre qui vous chasserait d'ici. Fuir! Fuir avec mon amour, se dit Cham, tout entier envahi par la sensation du genou d'Alex contre son genou. T'enlever, ma chérie, là où rien ne nous connaît, se dit-il encore. Et à la fois délice du familier, délice du lieu qui s'est fait de nous et que nous retrouvons pareil à un rêve interrompu.

Parmi le courrier un exemplaire du « se catalogue » de l'exposition des œuvres de jeunesse de Cham. Douleur dans tout le côté gauche du corps: Karlsen entré par effraction dans leur vie! En même temps, Cham se rassure: Sa galerie est à New York, elle le tient, Karlsen est un homme occupé, que viendrait-il faire ici? Qu'importe qu'il ait mis la main sur la propriété voisine! Malgré Karlsen, tu dois te garder en sensation de solitude. Il ne viendra jamais dans la maison en ruine, bientôt il aura oublié ce caprice et l'aura revendue.

Il faudra plusieurs jours pour que Cham se remette en coïncidence avec lui-même. Seules les pages rapportées de la ville aquatique le gardent en continuité. De les retrouver sur sa table où il les avait jetées en arrivant le tire trop brutalement en arrière... et à la fois le pousse trop brutalement en avant — le présent pris entre les mâchoires de cette pince qu'est toute écriture. Cham est dans la ville inondée, il est ici et le voilà tendu vers demain. Il doit se remettre au présent, attraper ce présent par l'écrit, saisir ce présent par les mots, écrire comme le peintre enfoncé dans le « motif ». Rendre par la couleur des mots cet immense champ aéré qu'est leur vie solitaire, ici, enfoncés dans leur solitude intime. Ecrire ça, entre le hier et le demain, retenir ça, l'instant qui meurt, peindre votre territoire intime, se dit Cham, que tu ressens comme illimité (le reste, toujours t'étouffe et te limite). Mais depuis leur retour, ce qui l'inquiète, ce qui le trouble, c'est cette crainte que l'écriture (l'écriture qui lui donnait l'illusion de s'ouvrir sur un paysage sans fin) ne se resserre à son tour, ne devienne territoire limité. Comme à un certain moment la peinture était devenue pour lui territoire limité. Et en même temps il se dit: C'est en poursuivant cette peinture de mots instantanés, en lui insufflant l'air de votre vie que tu as quelque chance d'aborder un territoire artistique neuf, inexploré, comme est inexplorée ta vie avec celle de ta vie. Ce non-fini de votre vie, pense encore Cham, cette sensation d'improvisation (dans la répétition), te remet, depuis votre retour dans cette maison isolée parmi les bois, en certitude de toi. Tu traces. Tu oublies ce à quoi tu t'occupes. Tu observes les variations de la fine pointe sensible. Tu n'apprécies ni ne juges. Ça se dépose, ça reste derrière, et ce n'est que plus tard lorsque tu déchiffreras le tremblé du matin qu'il t'arrivera d'y retrouver cette respiration, cet effondrement du moment sans cesse relayé par le moment. Voilà bientôt quarante ans que tu éprouves un amour fixe pour la même femme. Tu l'as enlevée, vous vous êtes enfuis ensemble. Et autour de ce point fixe, de cet axe d'intenses sensations, tu as jeté des images et des mots. Mais c'est toujours après, c'est toujours après que l'on écrit, c'est toujours après! — au contraire du pendant de la peinture.

Plusieurs semaines passent. Cham ne reprend pas son travail. L'esprit parasité par le domaine dont Karlsen s'est emparé. Et pourtant autour de toi tout est comme avant, constate Cham. Chaque matin ce que tu vois par la fenêtre de votre chambre te donne un immédiat plaisir. Aucune usure. N'est-ce pas la première pensée qui accompagne ton premier regard sur le vallon dans sa première lumière ? Tu ouvres les volets et tu te recouches près de celle dont les bras viennent sur ton cou pendant qu'elle prononce quelques mots vagues. Alourdi par un reste de sommeil, voilà son beau corps contre toi ; son parfum de femme ; son parfum de sommeil. Son corps m'est plus que le mien, se dit Cham, mon corps me sert à savoir le sien. Depuis le lit, il voit les pins maritimes en fleur. Le mouvement de l'air secoue le pollen en fumée. Pourquoi ce poids en toi, pourquoi ce refus ? Tu dois chasser Karlsen, chasse de toi la pensée fixe de Karlsen. En quoi sa signature sur un acte de vente entame-t-elle ta liberté ? Sa prise de possession de la propriété voisine t'a mis une barre en travers de la tête. Les véganines n'y font rien. Du calme ! Mais comment te calmer lorsque tu sais qu'il (Karlsen) peut arriver maintenant à tout moment *chez lui* et se poster à votre porte et coller son œil de marchand de tableaux à toutes les fentes du bois ?

Depuis leur retour d'Italie Cham et Alex évitent de descendre dans la vallée où se situe la propriété de Karlsen. Ils ont appris qu'il y a installé un gardien. A la tombée du jour, souvent ils font tous les deux une balade par le chemin de crête d'où ils découvrent les toits de la maison entre les arbres. Quelqu'un vit là maintenant. En effet, de la fumée sort d'une cheminée.

Hier, au retour de la promenade, ils ont croisé un type au volant d'une jeep. Voilà le gardien que Karlsen a installé dans la maison à demi en ruine.

Les jours passent sans que Cham puisse rester plus d'une

demi-heure à sa table. La présence de l'homme de Karlsen l'empêche de se concentrer sur son travail. Plusieurs fois encore ils l'ont croisé. Pourquoi Cham le trouve-t-il si effrayant ? Rien n'attirerait le regard sur lui, si ce n'est les traces de terribles humiliations qui ont en quelque sorte cassé son visage. Ses yeux très sombres et profondément enfoncés dans la figure ont quelque chose de désespéré dans leur tremblement. Cham a remarqué aussi ses mains : elles ne semblent pas appartenir au même corps que le reste : trop grandes, velues sur leur tranchant et sur les phalanges ; des mains sèches d'homme vieux, alors que le gardien de Karlsen est jeune, petit, noueux, faunesque, presque enfantin. Quand il croise Alex et Cham, il ralentit la jeep et leur fait un signe amical.

Et voilà qu'hier soir il s'est arrêté et leur a demandé pourquoi ils ne descendent jamais jusqu'à la maison. Ils lui disent qu'ils ont trop aimé la propriété dans son abandon. Il leur a répondu qu'il les comprenait.

Hier, Karlsen a téléphoné de New York :
« Ça va ?
— Ça va. »
Karlsen a vendu les tableaux qu'il a exposés. « Bientôt je reviendrai en acheter d'autres. » Cham lui a dit qu'il ne tient pas à lui en vendre d'autres. Karlsen a ri. Il sait que *maintenant* tu es sans défense devant lui. Livré ! Du calme !

Cette nuit, petit drame. Malaise produit par quoi ?
Par la présence en creux de Karlsen ? Onze heures et demie. Violente sonnerie du téléphone. Cham venait de s'assoupir. Alex lisait près de lui. Cham reçoit la sonnerie comme un coup de feu. Aussitôt il pense : C'est lui. Alex

saute du lit et répond. Ce n'est pas Karlsen. C'est T. Elle appelle de Paris. T. est comédienne — comédienne jusqu'à présent sans rôles. Alex et Cham ne l'ont pas revue depuis peut-être vingt ans. C'était encore une petite fille qui venait se blottir sur les genoux d'Alex et demander des « câlins ». Et voilà que la jeune femme inconnue se met à téléphoner en pleine nuit. Longues conversations dont Alex sort attendrie et perplexe. Cette nuit son appel a provoqué chez Cham une crise, un délire d'enfermement. Il croit comprendre que T. projette de venir les voir. Plus de refuge nulle part. Karlsen plus T.! Non! Non! Terrible sensation d'étouffement. Il s'agite dans le lit. Il fait de grands gestes de refus. Enfin, Alex se recouche. Cet appel vient de briser... ou plutôt vient d'achever de briser ce que K. avait fêlé. L'espace si aéré, si fluide, il y a encore quelques instants, s'est brusquement refermé : T. a envahi l'univers. Il n'y a plus d'immensité ; l'univers s'est resserré. Le creux du ciel s'est rempli de quelque chose de compact, d'épais. Manque de place! Impression que la chambre penche. Ivresse d'enfermement. Le monde est peuplé de cinq milliards de T. et de K.

« Je veux fuir, nous emporter vers un lieu où nul ne nous sait. Personne! Personne! »

Réveillé par le vent il était resté un long moment, sans bouger, le front appuyé au carreau de la fenêtre de la salle de bain. Une buée phosphorescente montait entre les différents plans des collines. Autour de la maison les grands arbres se tordaient comme s'ils brûlaient sans flammes. Le ciel était aussi net que du plastique. En son centre une lune ronde, démesurée faisait paraître la nuit orange. A un moment Cham croit apercevoir une ombre courte parmi les ombres élancées des branches ; un mouvement d'ombre différent de celui des arbres secoués par le vent. Quelqu'un est là. Cham reste immobile, le regard tourné vers la partie obscure, à droite de la maison, là où ses nerfs exaspérés lui disent qu'une présence se tient dissimulée. Il reste immobile. Il reste et fixe la nuit. Rien. Pourtant quelqu'un est là parmi les ombres qui bougent. La lune se déplace lentement, Cham ne voit pas son mouvement mais les ombres des branches s'étirent, glissent peu à peu vers le sud, alors que la lune, toujours aussi plate, pareille à une lame de métal, s'en va vers le nord-ouest. Soudain il remarque sur le sol, devant la maison : CR, produit par les ombres de deux branches que le mouvement de la lune a entrelacées. Il quitte la fenêtre et descend l'escalier. Le voilà dans l'atelier. Le chaos de tableaux abandonnés lui fait douloureusement penser au retrait des eaux dans la ville italienne. L'homme traînant au bout de ses bras des sacs en plastique pleins de livres trempés passe. Infime vision. Debout, à la porte de son atelier, il se désole à la pensée que ses écrits suivent la même courbe que sa peinture. Voilà que ce que tu écris est en train de rejoindre l'enfoncement de tes derniers tableaux, ceux que tu refuses de montrer et que, sans Alex qui chaque fois t'en empêche, tu aurais depuis longtemps détruits... Ces tableaux que tu refuses aujourd'hui, oui, tu dois les détruire, tu dois absolument les détruire ! Pourquoi ne ferais-tu pas un grand feu, dehors, un magnifique bûcher où tu jetterais l'une après l'autre toutes tes toiles, à rebours, et ainsi par le feu remonter à tes toiles de jeunesse ? Lentement il pénètre parmi ses peintures. Elles s'entassent en désordre appuyées les unes contre les autres, dans l'état où il les avait abandonnées après la visite de K., au moment de partir pour l'Italie. Il fouille dans le tas et retrouve quelques toiles qu'il avait peintes l'année de sa rencontre avec Alex. Puis il en saisit d'autres de différentes époques, jusqu'aux dernières, celles qui avaient précédé l'écriture. Brusque envie de détruire ces concrétions qui se sont solidifiées autour d'eux. Demain, se dit Cham, tu vides cette morgue, tu amoncelles tout ça dehors, derrière l'atelier, demain tu brûles, tu brûles! Tout! Sans exception tu brûles tout! Douleur dans la tête. Des crochets en acier se referment autour de sa tête. La femme en noir apparaît puis s'efface.

Le voilà revenu dans la chambre. Il s'allonge contre Alex, la prend contre lui. Toute la longueur de son corps contre le sien. Elle ne sait pas. Elle dort. Le ventre d'Alex est nu sous la main de Cham. Le chant des rossignols creuse la nuit, la rend de nouveau spacieuse ; Cham croit entendre les cloches de la ville aquatique. Il change de position, et doucement la conscience lui vient d'un lointain aboiement de chien dans les collines. Il répond aux cris d'un oiseau de nuit. Alex dort. Il est quatre heures. Cham lui parle, elle gémit et bouge un peu les pieds sur la jambe de Cham. Ah, j'adore la déranger dans son sommeil! J'aime ces petits gémissements. Plusieurs fois il chute dans de brefs sommeils. L'aube blanchit la chambre. Voilà Cham en brusque certitude de mort par la prise de conscience de ce qu'ils vivent, elle et lui, comme si leurs réalités si fortement sensuelles ne faisaient pas partie du monde « réel » et qu'ils aient pénétré en fraude dans l'intensité de la sensation pour en ravir la durée.
Bruit de la pluie. Cham ouvre les volets. De grands iris tremblent sous la pluie. Un brouillard incolore passe par lambeaux, modifie les formes des arbres, ouvre de brusques trous sur les collines. Alex s'est retournée, entraînant le drap. Son corps apparaît lumineux, lumineux. Il semble produire sa propre lumière parmi les objets effacés par le jour pluvieux. Cham revient vers elle. Merveille! se dit-il, la pluie vous resserre ici, seuls, elle et toi, dans cette maison, hors d'atteinte.

Aujourd'hui, Cham et Alex sont descendus par le sentier parmi les chênes verts et les pins. A gauche la vallée, le champ, la maison. A droite les pentes ensoleillées limitées en demi-cercle par des châtaigneraies délabrées. Ils s'immobilisent en bas du grand champ encore mouillé de la pluie du matin. La ruine a été restaurée en partie. Désagrément de savoir que les voilà maintenant chez Karlsen. Ils passent le ruisseau et remontent le champ, face au soleil qui sensiblement se retire. Des petites gueules-de-loup en masses serrées jaunes et brillantes forment des plaques dans lesquelles ils s'enfoncent jusqu'aux chevilles. Abeilles. Grillons. Cham est en enfance ; il marche près d'Alex. Les voilà devant la maison de Karlsen. La terrasse a été dégagée des buissons et des ronces. Brusque douleur à l'idée que Karlsen possède l'air qui les entoure, qu'ici ils sont maintenant *chez lui... si près de chez eux.*

L'homme de peine de K. se nomme Marti.

V

Hier, Cham a divisé en trois tas les tableaux accumulés pendant plus de vingt ans au fond de son atelier. Un tas pour tout ce qui a été peint de 1947 à 1955, un autre pour 1955 à 1960, et un troisième pour le reste... Il a décidé d'en brûler la plupart ces jours-ci.

Cham se déplace en évitant de marcher sur les épaves de sa vie de peintre. Il a posé certains tableaux dans leur ordre chronologique. De les saisir d'un seul regard, côte à côte, lui donne une commotion. C'est du temps qui a respiré, ou plutôt ce sont les fossiles d'une respiration. Espoir. Désespoir. Inspiration. Expiration. Ce rythme d'inspiration/expiration t'a toujours mis en discontinuité dans ton travail, en doute, en dégoût, en brusques exaltations suivies de dépressions... et de nouvelles certitudes, se dit Cham. Jamais en rupture avec toi-même. Tu inspirais : c'était la respiration de ton travail. Et tu acceptais ces plus et ces moins de la respiration de ton travail. Et voilà qu'ici, là, et là, l'expiration s'était mise à durer, à envahir le temps d'inspiration. Il y a déséquilibre dans le rythme, et brutale asphyxie. A partir de ce tableau, et de celui-là, tu n'as plus fait qu'expirer. Et, bien que conscient de ton expiration, tu avais continué à descendre, à descendre...

Et Cham se disait métaphoriquement que dans le sable

des grandes profondeurs il y a or. Oui, longtemps, te souviens-tu, tu avais prétendu cela. Métaphore usée du plongeur, se dit-il en souriant, assis maintenant sur son vieux fauteuil rotatif, métaphore usée du plongeur qui te fait penser que la lugubre ivresse des profondeurs brouille la tête et la main : le couteau tranche indifféremment l'artère ou la corde du signal de remontée.

Ce matin, Cham a tendu une vieille toile de jute sur un châssis. Il s'étonne de retrouver avec un plaisir mélancolique les petits automatismes, les petits trucs qui lui permettent, sans qu'à aucun moment ses mains hésitent, de réussir cette opération préliminaire. Ensuite, il a dressé la liste des couleurs dont il aurait besoin. Mais pourquoi d'écrire : cadmium, cobalt, chrome, l'a-t-il quoi ? ému ?

C'est décidé, tu tentes non pas une copie d'une de tes toiles de jeunesse mais... mais quoi ? Tu tentes de te mettre en jeunesse en peignant. Par le geste répétitif de la brosse sur la toile et son hypnose, retrouver le chemin... Interrompu par la sonnerie blessante du téléphone. C'est le Dr V. Il appelle d'Italie. Karlsen l'aurait invité à venir passer quelques jours avec lui dans sa nouvelle propriété.

« Alors, fuyons, repartons en Italie ! » dit Cham à Alex. Mais ils ne bougent pas.

Evidemment quelque chose de désagréable se prépare. « Jamais mes intuitions ne m'ont trompé quand il est question des lieux où il me faut vivre. Lorsqu'il y a hostilité, elle se met à suinter de tout. Même la rampe de l'escalier devient ennemie », disait Cham à Alex, se souvient Cham, quand vous viviez dans cet appartement que vous louait au-dessus de son jardin un certain psychanalyste vénitien. Entre deux patients il apparaissait en tenue légère, courant parmi les allées de grenadiers et les treilles de kiwi, torse nu, agitant les bras. Vous évitiez de vous montrer aux fenêtres mais vous étiez persuadés que, pour lui, vous étiez d'autant plus là qu'il ne vous voyait pas. Votre absence ne pouvait rendre votre présence que plus intolérable. Peu à peu l'atmosphère s'alourdissait: tu souffrais pour lui d'être là, toi, toi et Alex, chez lui. Tu ne pouvais plus écrire, ni lire, ni te concentrer: tu vous détestais de vous trouver si chez vous chez lui. Les jours de soleil, il déjeunait en famille sous la fenêtre de votre chambre. Bien que vous vous efforciez de retarder le plus possible l'heure de vos siestes, souvent il vous arrivait, qu'impatients l'un de l'autre, vous vous jetiez sur le lit sans attendre que le psychanalyste ait fini de déjeuner. A demi nu, tu tirais les persiennes le plus discrètement possible mais quelques petites écailles de peinture tombaient sans doute dans son assiette car aussitôt il s'arrêtait de parler et tout devenait d'une pesanteur terrible dans le jardin. Ce silence terrifiant vous obligeait au silence. Tu savais chacun de vos gestes dans sa tête, et lui demeurait en toi, enfoui, embusqué, dans la forêt de vos délices. Enfin le psychanalyste, sous un faux prétexte, vous déporta dans ses propres appartements et prit votre place dans l'appartement qu'il vous louait. Cela n'arrangea rien. D'être devenu vous ne l'apaisa pas, et toi d'être lui te fut encore plus intolérable. Vous vous enfuîtes.

Mais d'ici, où veux-tu fuir? Ici tu es *chez toi*.

Mais K. aussi peut maintenant prétendre être *chez lui*, ici!

Comment trouver le calme dont tu as besoin, se dit Cham, quand tu es *occupé* sans un instant de répit? K. s'est mis dans tes nerfs, il tétanise tes muscles.

Ouvrant Pouchkine au hasard Cham lit:

Demeure ferme et tranquille et farouche

Vis donc seul, va sur un chemin libre
Où l'esprit te conduit de son libre caprice

Le soleil descendait lentement vers les collines. Une buée d'air rose entourait la maison. Des fleurs d'acacia détachées par le butinement des abeilles, tombaient en neige sur les pages du Pouchkine ouvert sur les genoux de Cham... La paix!... Au même moment l'homme de Karlsen arrive dans la vieille jeep frappée d'une grande étoile blanche sur le capot.

« Demain, je dois aller le chercher à l'aéroport. »

Il est inquiet de revoir Karlsen qu'il ne connaît pour ainsi dire pas. Il dit encore: « Soyez là quand je le ramènerai. Accompagnez-moi avec lui jusqu'au domaine. Je ne l'ai vu qu'une fois, vous, vous le connaissez. » Il attend la réponse de Cham, le regard oblique, enfoncé. Donc nous y voilà, se dit Cham, demain K. sera ici, chez nous. Et c'est nous qui devons déjà l'accueillir! Brève nausée.

Le gardien de Karlsen insiste:

« Alors, vous permettez que je passe avec lui au retour de l'aéroport? » Au moment de remonter dans la jeep, il retient un instant le poignet d'Alex, intrigué par le bracelet d'argent que jamais elle ne quitte. Le poignet d'Alex à l'articulation longue et souple soudain emprisonné par ces mains que Cham ne peut regarder sans malaise. Brusque chute dans le temps: à travers le valet de Karlsen, c'est Karlsen qu'il voit alors que jeune marchand de tableaux il était monté la première fois dans la mansarde où Alex et Cham vivaient si délicieusement à l'étroit parmi les toiles. Avec une douceur ironique, le jeune Karlsen avait saisi Alex au poignet et l'avait attirée vers la lumière: « Etrange bracelet », avait-il dit (1951). Et aujourd'hui ce même geste de Marti comme si à travers l'immense distance de la vie (1987), Karlsen faisait agir son valet en parfaite symétrie. La main du jeune marchand de tableaux saisissant le poignet de la jeune Alex, se souvient le Cham vieillissant d'aujourd'hui. Ce jour-là Cham avait montré quelques tableaux au jeune marchand. Il les posait sur le chevalet et les enlevait presque aussitôt, ne prononçant pas une parole, allant et venant, souple bien que raidi, maniant ses peintures avec dédain, distance, presque avec mépris. Un violent malaise se dégageait de ce va-et-vient. De temps en temps le jeune marchand poussait une exclamation, trouvant que le jeune peintre mettait trop de hâte à retirer ses toiles et à passer aux suivantes. Mais, tout en regardant les tableaux, se souvient le Cham vieillissant d'aujourd'hui, l'œil de K. était tiré vers l'image si proche de la jeune Alex agenouillée sur le lit, le corps et le visage exactement de profil, les bras ramenés sur ses cuisses, les mains serrées entre ses genoux. Aussi gracieuse, dans la simplicité de sa pose, qu'une figure égyptienne, elle suivait tes déplacements, se souvient Cham, te soutenant des yeux en quelque sorte. Pas une seule fois depuis l'arrivée du jeune marchand, toi et Alex vous ne vous étiez adressé la parole. Et pourtant vous n'arrêtiez pas de *parler*. A toutes sortes de détails, K. le jeune marchand de tableaux devait surprendre votre connivence. A un moment, ah je me souviens, pense Cham, j'avais gardé un instant dans ma main un petit fruit de marbre que j'avais reposé distraitement au moment de reprendre un tableau et de le remplacer par un autre sur le chevalet. Alex avait tendu la main pour se saisir du petit fruit de pierre encore chaud de l'étreinte de Cham. Son bracelet d'argent avait lui et c'est alors que le jeune Karlsen avait dit : « Etrange bracelet », arrêtant le bras d'Alex. Et de nouveau il s'était tourné vers tes tableaux, et Alex avait achevé son geste. Son corps avait bougé vers cette pierre encore tiède. Elle avait pris le fruit de marbre, l'avait serré entre ses doigts, l'avait fait rouler sur ses genoux réunis, se souvient le Cham vieillissant d'aujourd'hui...

Pendant toute la nuit, un homme brun et trapu ressemblant à un nain de Vélasquez est resté assis sur la poitrine de Cham qui ne pouvait pas bouger et dont seul le visage gardait la liberté de changer d'expression. Mais à mesure que Cham tordait la bouche et fronçait les sourcils, le nain tordait la bouche et fronçait les sourcils en pesant de plus en plus fort sur la poitrine de Cham. Ce qui mêlait deux sortes d'étouffements: celui d'être imité et limité. Un peu avant, au moment où Alex et Cham allaient s'endormir, Karlsen avait téléphoné de Londres. Il leur annonçait son arrivée pour le lendemain — comme si Cham était son intendant et qu'il devait veiller à ce que tout soit en ordre pour la venue du maître. Furieux, Cham avait raccroché sans répondre. Jusqu'à présent Karlsen s'était désintéressé du domaine, et il s'était contenté de faire régler les factures des travaux de restauration directement par sa galerie de New York. Il ne manque pas d'argent, il s'est même pas mal enrichi dernièrement en servant d'intermédiaire entre un particulier et un musée dans le troc d'un tableau célèbre. Ses affaires l'avaient beaucoup occupé. Si Alex et Cham ne s'étaient trouvés là, il aurait sans doute oublié le domaine.

Le lendemain matin voilà la jeep. Karlsen est debout près de Marti. Il est en tenue de citadin à la campagne. Nous y sommes! pense Cham en le voyant s'avancer sur la terrasse. Karlsen le prend aux épaules, lui donne l'accolade, il embrasse Alex, les prend tous les deux contre lui avec affection. Bizarrement, Cham s'aperçoit qu'il revoit presque avec plaisir son vieil ami Karlsen. Au fond, se dit-il, pourquoi ne te réjouirais-tu pas d'avoir pour voisin celui qui vous connaît depuis si longtemps? Il a toujours aimé ta peinture. Il a toujours cru en toi.

Alex, Cham, Karlsen se serrent en riant dans la jeep. Tous les trois sont très gais, les bruyères sont en fleur. De se trouver réunis dans cette jeep qui bondit les remet en jeunesse. Serais-je heureux de revoir Karlsen? se demande Cham avec étonnement. Et il mesure tout à coup l'obscurité dans laquelle s'est enfermé son esprit. Tu as perdu la foi dans les autres, se dit-il, tu n'espères donc plus dans les autres? se dit-il encore tout en riant avec Alex et leur vieil ami de jeunesse, tout en riant en surface. Rien venant des autres ne peut donc plus te rassurer sur toi? Adolescent tu avais réussi à survivre en te figurant qu'un jour tu serais *reconnu* par d'autres que par les *tiens*, qui eux t'avaient exclu. Maintenant tu sais que toute reconnaissance doit passer par toi — et que toi tu ne te satisferas jamais. Alors pourquoi repousser ton vieil ami Karlsen? Pourquoi ne pas te remettre en jeunesse par lui? se dit Cham pendant que bondit la jeep dans le chemin de terre qui les conduit chez Karlsen, et qu'ils rient tous les trois.

Arrivés au tournant de la piste, Marti stoppe la jeep. Il attend. De là on domine d'assez près la propriété, le champ bien dégagé, fauché jusqu'au ruisseau. Karlsen saute à terre, fait quelques pas et, soudain renfrogné, reste immobile, les mains enfoncées dans les poches de sa veste. Cham ressent un bref vertige. Le paysage se trouble; Karlsen lui apparaît déformé dans le paysage, comme vissé sur lui-même. Et de nouveau Cham le refuse. Il s'approche de lui, presque agressif: « Alors? Marti a fait du beau travail, non? » K. se tait. Cham insiste:

« Avoue que c'est beau.

— Je ne vois pas... » Et se tournant vers Marti, Karlsen ajoute: « C'est donc à ça qu'est passé tout le fric que je t'ai fait envoyer? »

Sans lui répondre, Marti démarre, les abandonnant dans la dernière courbe du chemin.

« Mais pourquoi l'as-tu humilié ? dit Alex.

— Ce garçon m'agace. Sais-tu, Alex, combien cette petite histoire m'a déjà coûté en dollars ?

— Viens, dit Cham, le saisissant par le bras, viens, tu verras qu'il n'a pas perdu *ton* temps. » Il ne le lâche pas et le conduit devant la maison restaurée. « Et maintenant admire ! »

Ce soir-là, Cham aurait dû s'enfermer chez lui, mettre en avant le prétexte de son travail. Mais il n'a pas eu la fermeté de refuser de dîner au domaine. Pourtant ce premier soir fut très gai. De nouveau il s'étonne de refuser Karlsen avec cette violence. Ils dînent ensemble dans la grande cuisine, près des fourneaux. Et voilà que Cham se reprend à aimer Karlsen, il se met à aimer ce vieux témoin de leurs jeunes années. Il se souvient de la chambre close, si intime sous la pente du toit. Alex s'est lavé les cheveux, son visage semble ruisseler de pluie. Elle porte un léger peignoir noué à la taille. Ployant le cou sur le côté, elle se met à tordre les lourdes mèches de sa chevelure mouillée dans une serviette. Assise sur le lit, elle se coiffe maintenant, et le bracelet d'argent lance de doux éclats de lumière sous la pente du toit. Près d'elle, sur le lit, un pastel inachevé punaisé sur une planche à dessin. Des livres. Des disques. Des photos découpées. Des crayons de couleur. Un échiquier. Une guitare. Et partout autour les tableaux du jeune Cham, se souvient le Cham vieillissant d'aujourd'hui. La porte s'ouvre. Entre le jeune Karlsen. Cham débarrasse un coin du lit et l'invite à s'asseoir. Le jeune marchand allume une cigarette, pendant qu'Alex ventile ses cheveux à l'aide du petit séchoir électrique en forme de revolver. Gêné par le

grésillement du moteur, K. doit parler au-dessus de sa voix...
A un moment, alors que s'achevait ce premier dîner au
domaine, Karlsen dit, se tournant vers Alex: « Toi qui nous
observes depuis tant d'années, de quelle sorte est notre
amitié? Toi qui le connais, dis-nous, Alex, qui est ce type
avec lequel tu passes ta vie? » Il fait le tour de la table et
vient s'asseoir près de Cham sur le banc: « Pourquoi cette
vieille amitié? Cham, comment cette amitié? Sans toi, peut-
être serais-je devenu peintre, qui sait? Peut-être aurais-je
écrit? Qui sait? — C'est vrai, dit Cham, drôle d'amitié! Si
j'ai cessé de peindre, c'est peut-être à cause de toi... ou
peut-être par dégoût des odeurs de térébenthine et d'huile
de lin. »

Le lendemain matin il pleuvait; les feuillages des grands
arbres, devant la maison, rendaient le jour vert, nocturne.
Des nuages violets arrivaient de l'ouest, frôlant les crêtes des
collines. Des mouettes par bandes disloquées montaient et
descendaient dans le vent... et Cham se sentait en paix...
bien qu'en souffrance, pourtant, de la soirée d'hier. En paix
par *Kreisleriana*, par la maison engloutie dans les feuillages
mouillés, par la châtaigneraie encore plus sombre et qui
prolonge toujours, les jours de pluie, cette ambiance
d'engloutissement, d'enfoncement de la maison... d'Alex et
lui dans la maison. En remontant à pied, la nuit, bien que
contrarié par cette soirée avec Karlsen et son valet, Cham
s'était néanmoins exalté en traversant les châtaigneraies
silencieuses. Grand troncs essorés par les siècles; feuillages
massifs entassés plaque sur plaque. Eux deux — son amour
et lui — dessous. Les orages de l'aube se préparaient au loin.
Lumières brèves entre le vert et le violet qui donnaient par
instant un relief électrique aux vastes rides des arbres.

On peut trouver une exaltation à toujours désirer la crise, à n'être jamais en paix, jamais installé, que ce soit avec les idées ou avec les personnes, pensait Cham dans le noir près d'Alex dont la respiration tranquille l'apaisait. Réjouis-toi, au contraire, du retour de Karlsen dans votre vie. Sers-toi de ce défi. Sers-toi de cet étouffement, de cette souffrance, essayait-il de penser encore, un peu plus tard, en se déplaçant dans une sorte de compartiment aux parois de fer. Il aide Alex qui, debout, s'accroche péniblement à la barre centrale de ce compartiment plein de réfugiés. Les parois de fer résonnent de roulements et de gémissements. Alex souffre de la cheville. Elle se tient par moment sur une jambe et frotte sa cheville douloureuse contre son mollet. La souffrance que ressent Alex est si lancinante que Cham commence à en recevoir une part. A diverses reprises de terribles tétanisations bloquent sa jambe gauche. Ce voyage en compartiment de fer, Cham le poursuit avec Alex depuis des années, un peu en dessous, dans les couches inférieures de la réalité, comme si cette machine les transportait sans répit dans un espace hors conscience, par des voies souterraines, pour n'émerger que de temps en temps par certaines nuits, comme celle-ci, remplies de l'insupportable conscience du néant. Et voilà que Cham reconnaît la sœur de sa mère, tante Sonia. Est-ce d'être dans le roulement de ce voyage? Est-ce d'avoir perçu en lui comme un cri de femme qui tombe dans le vide? Soudain toutes les sensations: tétanisations, souffrances prêtées à Alex, la cadence du convoi qui constamment bat en Cham, tout ce qui peut mettre en effroi sa conscience est comme transpercé par la chute, le cri. Et il comprend qu'il assiste au suicide de tante Sonia. Il est dans la chute, et le cri en lui accompagne cette chute jusqu'au silence qui suit. En même temps il est sur le balcon d'où la sœur de la femme en noir vient de se jeter... et aussi près du corps en bas. Des gens approchent avec des mouvements ralentis. Ils s'arrêtent à distance de cette femme couchée sur le côté dans une pose simple. Seule une de ses chaussures a roulé plus loin, et le pied de tante Sonia est là, impudique, très blanc, très soigné sous le bas transparent. La voix du cousin de Cham : « Je ne comprends pas, non, je ne comprends pas. » Cham est avec lui, des années plus tard, et son cousin montre le trottoir, loin dessous. Ils sont accoudés à l'endroit exact d'où tante Sonia s'est jetée. Le cousin dit encore : « Elle n'a jamais pu se remettre de la somme immense d'horreur. »

Cham est accablé, comme légèrement ivre. L'herbe devant la maison est d'un vert trop doux et de ridicules pétales de rose en forme de cœur ont volé un peu partout sur la terrasse. Alex sort de la maison. Cham s'avance et prend contre lui cette femme en long peignoir de velours noir qui lui fait penser à ces femmes splendidement sophistiquées des films d'Antonioni. Ils restent ainsi, un moment, debout sous la pluie, puis ils rentrent dans la maison chaude.

VI

Quelques jours passent. Cham s'étonne de ne plus avoir de nouvelles de Karlsen. Ce silence l'inquiète et le rassure. Le Dr V. serait, paraît-il, arrivé. Cham sait qu'il devra rouvrir son atelier, montrer ses toiles de jeunesse. En attendant il a pris le soin d'en retourner la plupart contre le mur. Il a dissimulé aussi la toile vierge qu'il avait montée dans l'espoir de produire clandestinement une pseudo-œuvre de jeunesse. Il regrette de ne pas avoir profité de ces quelques jours de répit pour brûler une partie des toiles qu'il avait mises de côté, et dont l'existence le tourmente. Il se promet de les détruire au plus vite, de n'en conserver que quelques-unes, dont celles de son extrême jeunesse (1947-1955).

Après les orages de la semaine dernière, ce matin l'air est frais, le bleu n'est pas que dans les lointains. Symétrie, pense Cham, entre les moments passés hier soir avec Alex sur la terrasse à la lumière de la pleine lune, et le petit déjeuner de ce matin, au soleil levant, aux mêmes places, face au même paysage dans sa lumière inversée. Même conversation entre eux évoquant l'époque où à Paris il ne se passait pas un jour qu'ils ne voient Karlsen. Epoque de joyeuse négation de la plupart des valeurs où ils avançaient parallèles, Karlsen et Cham, avec, entre eux, la splendeur d'Alex. N'ayant pu la séduire, c'est eux deux qu'il entreprit de posséder par les tableaux de Cham et par l'amitié, une amitié ironique.

Pendant des années on les vit ensemble, comme de jeunes héros fitzgéraldiens, plus près des années trente que des années soixante. Le jeune Karlsen conduisait une longue Buick noire décapotable. Ils roulaient tous les trois sur les routes vides, serrés sur le siège de cuir — Alex entre eux, sa chevelure frappant alternativement le visage de Cham et celui de Karlsen. Oui, sachant Karlsen si proche, là, dans le creux de leur paysage, Alex et Cham s'étonnent ce matin, comme hier soir, de la force des images qui, par la présence de Karlsen, remontent et s'imposent à tout moment sur la réalité. Où nous réfugier maintenant? pensait Cham. Ici n'est plus un refuge. Tu te croyais caché et te voilà nu derrière la vitre. Tiens-toi de toutes tes forces à l'instant! Rien ne peut nous atteindre, se disait-il, à condition de ne pas sortir de l'instant.

Le Dr V. s'est assis dans le vieux fauteuil de cuir, face aux tableaux de jeunesse que Cham a déployés en équilibre les uns sur les autres. Au bout d'un moment le Dr V. dit: « Vous avez évidemment eu tort de vous fuir. » Il se sort difficilement du fauteuil et va vers le paquet de toiles que Cham a mises de côté dans l'intention de les détruire.

« Et ça?
— Ça? Ce n'est rien. »
Le Dr V. a pris une des toiles condamnées et l'a déplacée vers la fenêtre. Il la présente à la lumière, l'examine longtemps sans dire un mot. Il la repose, en prend une autre, la palpe, la retourne. Son visage aux traits mous et tristes est devenu soucieux:

« Et ça? Ce sont vos tableaux de la fin?
— Oui », dit Cham, s'efforçant de prendre un ton désinvolte, comme si tout ça ne regardait plus le « peintre mort » qu'il prétend être.

Karlsen se tient un peu en retrait, dans la partie sombre de l'atelier, près d'un autre tas de tableaux (1960-1970). Cham pense à ce pianiste qui, le soir de son premier récital, s'était mis à vomir par-dessus la rampe en une atroce parodie de salut.

« Ce sont des tumeurs que vous avez peintes là », dit le Dr V. Cham saisit les toiles et les retourne.

« De voir ces tableaux en train d'être vus m'est aussi intolérable que si des étrangers s'amusaient à détailler mon corps sur une table de dissection — moi encore vivant, comprenez-vous?

— Très amusant, dit le Dr V., vous avez entendu, Karlsen? Ce que notre ami vient de dire aurait été suffisant, du temps où j'avais en main les structures thérapeutiques que vous savez, pour le mettre à l'abri de lui-même durant un temps plus ou moins long. » Bien sûr, il y a de la plaisanterie dans le ton, ils se situent de l'autre côté du rideau de scène, tous complices, dans les coulisses d'une même comédie.

Comment comprendre ce qui se passe en toi? pense Cham, tout en déplaçant ses tableaux, alors que tu es, comme en ce moment, dans la situation du peintre en train de montrer ses œuvres? Non, aucune situation d'indécence ne peut être plus indécente: une nudité non voulue parmi la foule vêtue, une nudité qui vous met en rejet de votre peau. Oui, pour chaque tableau retourné et mis en lumière dans cette morgue qu'est ton ancien atelier, pour chaque toile donnée à voir, tu t'exposes. Tu en sors épuisé, le corps entier en douleur de t'être montré dans cette nudité d'au-delà de la pensée que sont ces matières peintes. Tu es le rescapé d'un accident: allongé sur une table, tu fais le compte de tes muscles; tu les fais bouger; tu les chauffes peu à peu jusqu'à ce qu'ils acceptent d'entrer de nouveau dans la longue lignée de mouvements qui, jusqu'à ce que tu pénètres dans ton atelier, leur étaient naturels. Mais mentalement je chancelle, se dit encore Cham. Cela n'échappe pas au Dr V. et, lorsque Karlsen extorque à Cham, contre une bonne somme, plusieurs toiles de jeunesse, le Dr V. dit en souriant de son air un peu égaré : « Ce troc vous fait donc souffrir ? Pourtant rien ne devrait être plus soignant pour un artiste malade comme vous que de transformer en argent ces choses singulières qu'avec le temps sont devenues vos toiles de jeunesse. — Ah, tu vois, tu entends ! » s'exclame Karlsen. Il rit. Et il menace Cham du doigt : « Tu ne dois pas refuser ! Tu ne dois rien refuser de tes amis ! Ça fait une vie que je te le dis. Si dès le départ tu avais accepté que je te prenne en main, tu n'en serais pas arrivé à peindre ces sortes de monstruosités qu'aujourd'hui tu caches honteusement... Et que tu te proposes de brûler, m'as-tu dit ? » Cham se renfrogne. « En somme, dit le Dr V., si vous ne vous étiez pas rebellé contre ce qui fait la *santé* de la peinture — le troc argent contre œuvres — vous auriez sûrement fait l'économie de toutes ces toiles que vous reniez aujourd'hui. Connaissez-vous le cas de ce garçon boucher illettré qui, au dix-neuvième siècle — donc cent cinquante ans après William Harvey — avait "découvert" par ses propres moyens, et après plus de quinze ans de recherches cachées, les lois de la circulation du sang ? N'aurait-il pas mieux valu que ce garçon boucher se fasse lire un traité de physiologie, ainsi aurait-il fait l'économie de quinze ans de tâtonnements et de tortures dans la puanteur des abattoirs ? » Cham reste un moment sans répondre. Doit-il se défendre ? Qu'a-t-il à voir avec ce garçon boucher ? Il fait quelques pas entre les tas de tableaux. Le Dr V. le suit de son regard trop doux. Croyant que Cham ne les voit pas, K. et le Dr V. se font des signes derrière son dos. « Vous avez tort, dit Cham, de souhaiter au garçon boucher l'*économie* de quinze ans de curiosité et d'efforts solitaires. Supprimer quinze ans de sens à sa vie pour une lecture par autrui ! On ne saura jamais quelle folie, quel génie manœuvrait le couteau du garçon boucher qui cent cinquante ans trop tard "découvrait" les lois de la circulation sanguine. Quant à votre parabole, elle ne concerne que la moitié de la question... Et encore... En effet, l'erreur pour un peintre est sans doute de s'isoler, au contraire de celui qui écrit. Et sûrement, si j'en suis venu à écrire, c'est que je m'étais isolé par besoin de me rendre absent... »

Cham sort de l'atelier. Ils le suivent. Dehors, Marti attend au volant de la jeep. Karlsen le renvoie. Il rentrera à pied avec le Dr V. Pourquoi Alex et Cham ne les accompagneraient-ils pas?

Voilà, donc c'est arrivé, pense Cham, ton ancien ami le marchand de tableaux est en train d'établir entre vous des « rapports de voisinage ». Reste calme! Calme!

Le temps de cette marche à travers bois, l'humeur de Cham s'est doucement retournée. Pourquoi t'irriter de ce voisinage? Karlsen, le Dr V. aiment le peintre que tu as été, pourquoi t'obstines-tu à te refuser à travers le peintre que tu as été? Partis avec les dernières lueurs du soleil couchant, ils s'enfoncent peu à peu dans l'ombre. En bas, dans le trou au fond duquel se trouve la propriété de Karlsen, la nuit est depuis longtemps tombée. Arrivé dans la dernière courbe du chemin, on devine la masse sombre de la maison. Seule une fenêtre laisse paraître un peu de lumière. « C'est parfaitement sinistre, dit Karlsen en riant. (Cette remarque ne déplaît pas à Cham.) Bizarre type, ce Marti. Pourquoi n'a-t-il pas éclairé la terrasse? Il devrait au moins illuminer ce trou.
— Ce lieu dégage une grande magie », dit le Dr V. dans l'évident espoir d'adoucir l'humeur de Karlsen qui s'énerve sans raison, tout à coup, contre Marti.

Les voilà tous dans la grande cuisine chaude. Au lieu de repartir, Alex et Cham restent. Dîner assez gai où de nouveau Karlsen évoque le temps « du petit atelier sous les toits, te souviens-tu, Alex ? Cham, te souviens-tu ? » Karlsen boit, s'attendrit, puis s'énerve, s'en prenant à Marti. Longtemps ils restent à table. La tension monte. « Ce lieu est néfaste, dit Karlsen, je ne m'y sens pas bien. » A un moment le Dr V. dit: « Ce matin en me promenant dans le champ, j'ai vu passer deux corbeaux. Ils volaient très rapprochés. De temps en temps le mâle pinçait l'aile de la femelle d'un vigoureux coup de bec. Etait-ce en signe de désir ? — Allons, allons, dit Karlsen, qui vous dit que c'étaient un mâle et une femelle ? S'ils s'envoyaient des coups de bec en plein vol, de vigoureux coups de bec, dites-vous, docteur, ce ne pouvait être que deux mâles. — Ah, vous croyez ? dit le Dr V. — Je ne crois pas, j'en suis sûr... bien qu'à vrai dire on peut imaginer que chez les corbeaux les mâles se comportent avec des ruses quasi humaines. » Il t'avait condamné, pense Cham, et il agissait avec toi comme si toi, Alex, lui, vous étiez les victimes d'une fatalité qui vous dépassait lui, toi et Alex, ton amour. Il te plaignait d'être la victime désignée, il s'excusait presque, avec tendresse, tristesse, te souviens-tu ? Vous étiez seuls ce jour-là, sans Alex. Karlsen avait tout à coup parlé de Don Juan. « Comme lui, avait-il dit, j'aime toutes les femmes et aucune ne me résiste. » Il l'avait dit bien sûr en ironie en plissant les yeux dans la fumée de sa cigarette. Vous aviez plaisanté un moment sur ce sujet mais derrière ses paroles, tu sentais une agressivité inquiète. Tu regardais le jeune marchand de tableaux et tu te disais : En effet, pourquoi une femme refuserait-elle de se laisser séduire par sa désinvolture capricieuse ? Karlsen te fixait avec une expression, comment dire ? amoureuse, tendre, pleine d'une compassion fraternelle. Il te plaignait d'avance. C'était aga-çant. Et à mesure que Karlsen se dévoilait, tu t'efforçais, se dit Cham en ironie rétrospective, de dévier les mots du jeune marchand de tableaux, répondant à côté comme si tu ne saisissais pas ce qu'il tentait de te dire. Camaraderie franche, chaleureuse, qui rend la pupille dorée, pleine d'éclats comme en ont certains regards d'homme à homme lorsqu'ils se chargent de cette espèce de magnétisme que provoque la pensée d'une même femme. Par pudeur? par indifférence envers lui? par un certain fatalisme qui s'en remettait entièrement à l'amour, à la passion entre toi et Alex? tu détournas la conversation, refusant de nommer la *situation* pour ne pas la créer. Mais le jeune marchand de tableaux insistait, déçu du peu de cas que tu faisais de sa tentative de mettre du trouble entre vous. Au fond, tu tenais à ce que tout cela reste confus. Tu ne voulais rien savoir de la banale stratégie de Karlsen. Ton amour passionné pour Alex, te disais-tu, se souvient Cham, te maintient au-dessus de la stratégie de K., et la violence de tes sentiments envers Alex exige la réciproque... ou alors que vienne le désastre. Tu observais le jeune marchand de tableaux. Que signifiait, après tout, cette mise en garde? Tu la ressentais comme une déclaration d'amitié, une façon de se débarrasser par avance de la culpabilité, en somme de dire: Qu'y pouvons-nous, mon vieux Cham, c'est la fatalité. Comment, si je t'aime toi mon ami, pourrais-je me défendre d'aimer celle que tu aimes? N'est-elle pas faite pour être le trait d'union entre toi et moi? Enfin, Alex vous avait rejoints et la conversation en resta là. Par la suite, tu repensas souvent à ce qui avait passé entre K. et toi sans être dit. Tu en gardas un malaise que n'effaça jamais complètement la sympathie que tu éprouvais alors pour le jeune marchand de tableaux qui se disait épris de tes toiles de jeunesse. Sympathie! Qu'est-ce que la sympathie? Ou l'antipathie? On prétend que ce sont des sentiments, se dit Cham en écoutant distraitement Karlsen et le Dr V. (Ils parlent des dernières grandes ventes de peinture moderne à Londres.) Ne serait-ce pas plutôt de la sensation? Tout n'est-il pas contenu dans le premier regard? pense encore

Cham en observant le visage d'aujourd'hui de Karlsen. Mais la vie est tellement absorbante, si prenante, qu'elle ne vous laisse pas le temps de vous attarder sur ce choc du premier contact ; elle mobilise en vous une telle somme de tension, un tel besoin de donner, de prendre, d'échanger, de prêter à l'autre, qu'en quelques instants la sensation première se trouve ensevelie sous les couches ininterrompues d'émotions que toute rencontre suscite en vous. Et il suffit parfois d'un temps très court pour que les sensations en se superposant prennent la forme d'un sentiment. Des liens sont établis, et le souvenir est perdu de ce premier contact où l'autre, l'inconnu, vous était apparu le visage en quelque sorte cru... jusqu'au jour où arrive l'oubli de vouloir plaire, où la vigilance chute, où le laisser-aller déforme les relations. Et soudain, comme si vous veniez de retrouver une vieille photo égarée, vous *reconnaissez*, dans celui que vous vous imaginiez si bien connaître, telle expression, tel détail que votre sensibilité avait mis de côté et volontairement oublié, pensait le Cham vieillissant d'aujourd'hui, en observant le visage vieilli et envahi d'une courte barbe grisâtre du Karlsen d'aujourd'hui. Qu'avais-tu vraiment vu du jeune Karlsen, à l'époque de votre première rencontre ? Qu'avais-tu vraiment saisi pour aussitôt l'oublier ? Tu le sais maintenant, près de quarante ans plus tard ! Oui, l'image première il te semble que tu viens juste à l'instant de la ressaisir alors que Karlsen s'en prend injustement à Marti, ce type obscur et informe assis avec vous à la table de cette cuisine dorée par la lumière des bougies. Donc au premier coup d'œil, tu avais *tout* vu et bien vu.

Demain Karlsen prend l'avion pour New York. Le Dr V. restera encore quelques jours au domaine, avant de retourner en Italie. Il souhaite revoir les tableaux de jeunesse « et aussi ceux de la fin qu'il nous faut absolument vous empêcher de détruire ».

VII

Sortant dans la lumière tiède et d'un bleu doux, Cham a la surprise de trouver ce matin-là de grands lys blancs ouverts tous à la fois. Quelques jours par an cette folie de parfum ainsi que ces présences un peu étranges qui ne laissent plus vraiment seuls Alex et Cham, sur les terrasses de leur jardin. Foule blanche et agitée par de gros bourdons du bleu violet des culasses de fusil. Matin de paix traversé par les premiers rayons de soleil horizontaux entre les branches. Trois papillons passent en vol irrégulier. Dans l'ombre des feuilles ils paraissent noirs, et soudain les voilà d'un or roux.

Hier soir le père d'Alex lui a dit au téléphone : « Je sens que je vais mourir. Ce n'est pas une question de mois mais de semaines. » Dernièrement, en se penchant il a perdu l'équilibre et s'est blessé au front. Il s'est relevé le visage couvert de sang. S'il tombe si facilement ce n'est pas par faiblesse physique mais désespoir moral. Il est presque aveugle, il n'entend presque plus, il n'est plus sûr de son corps, il se défie de son corps, plus rien n'est stable, seule la mort est une certitude qu'il *touche* par la lente perte de ses sens. Il est là, dans ce corps incertain, et il guette par les fentes troubles de ses yeux, il guette l'instant où le sol montera vers lui et où sa conscience lui sera arrachée. Cependant le Commandeur continue, en prenant des risques terribles, à conduire sa voiture sans entendre et sans voir. Sa voiture est puissante, blanche. Voilà la vérité. Mais cette nuit, la puissante voiture blanche est apparue à Cham alors qu'Alex et lui se trouvaient allongés en étreinte parmi des fourrures blanches et noires, au fond d'une chambre ressemblant au décor de *La reine Christine*. Alex était dans les bras de Cham, renversée, la gorge nue, le cou arqué, blanc, très blanc, les seins très blancs aussi à demi sortis d'un soutien-gorge noir ajouré. Cham baisait ses seins puis son ventre d'une peau blanche coupée en plusieurs endroits par les attaches de ses bas de cristal noir. Ils gémissaient. Ils gémissaient. C'est à ce moment que la voiture conduite par le Commandeur aveugle et sourd commença à leur foncer dessus. Une première fois l'aile blanche de la voiture heurta Cham à la hanche mais il se trouvait tellement abîmé dans le plaisir qu'il n'y fit pas attention. Une seconde fois elle fonça sur eux de face mais au dernier moment quelque chose dans la chambre dévia sa direction et elle alla frapper le coin d'une grande cheminée. Le Commandeur, bien droit dans l'habitacle, ne tourna pas la tête. Cham le voyait de profil derrière la vitre de la voiture immobilisée entre le lit et la cheminée. Il voulut se lever, fuir avec son amour, de cette chambre que la grande voiture blanche occupait en entier. Mais sous son corps, celle de leurs plaisirs de toute une vie le tenait de ses jambes longues, et l'entraînait au plus profond de jouissances multiples... Voilà de quel rêve fou Cham était sorti ce matin à l'aube. Son amour dormait, paisible, pendant qu'autour de la maison les grands lys s'ouvraient silencieusement. Sur le moment, Cham n'aurait pu mettre en forme son rêve. Il savait qu'il était en noir et blanc comme d'autres fois on sait qu'on a rêvé en couleurs. Cette sensation de noir et blanc l'a poursuivi toute la matinée, malgré l'air bleu, malgré les papillons devenus brièvement d'or. Puis peu à peu s'est précisée la voiture blanche du Commandeur et d'un coup tout lui est revenu dans l'ordre, aussi net et précis qu'un film sur écran carré.

Maintenant Cham traverse la terrasse. Il oblique vers les cyprès. Il oblique encore vers les marches de pierre. Il passe sous l'arche de fer recouverte de rosiers. Il longe le mur, il avance, comme endormi, décalé, dans les senteurs des chèvrefeuilles. Senteurs troubles, oppressantes qui l'accompagnent jusqu'aux bassins sous la treille mélangée de glycines en fleur. Oppressé, il se penche, appuyé des deux mains au grès rose des bassins. L'eau de la source est sur son visage, sur son cou. Il n'est plus que sensation d'eau fraîche sur les yeux, la bouche. Ah, redevenir sensation! Peindre! Te remettre en sensation. Mais tout en désirant peinture, son esprit ne peut s'empêcher de s'égarer dans le détail d'une nature qui par son moisi, sa voracité, le met en effroi. Il bute, il trébuche sur la mise en mots. Le peintre décomposé en lui veut quand même voir de la beauté innommée là où celui qui écrit constate, nomme, identifie. Il ne peut s'arracher à cette comptabilité maniaque, à ce travail d'identification, à cette ivrognerie des mots. Sans cesse, remettre l'univers en place en nommant. Comme si de nommer là, sur sa main, arrêté un instant l'hyménoptère bagué d'or, comme si de recenser, de dire, pouvait clarifier l'effroyable confusion. D'écrire t'a mis en danger, pense Cham toujours incliné sur les bassins où, sous ses yeux, les mouvements de l'eau entraînent dans des cercles les pétales un peu fanés détachés de la treille. D'écrire t'a rendu visible. Karlsen t'a retrouvé pour te punir de tes écrits. Le Dr. V. a été engagé par lui pour te surveiller. Tu dois t'enfermer dans ta maison, tu dois disparaître, t'enfoncer parmi tes toiles de jeunesse, peindre de fausses toiles de jeunesse, les signer CR, et ainsi dérouter la mort. Le ciel, les arbres en travers du

75

ciel, les blocs de grès rose qui contiennent l'eau de la source, tout se met à onduler autour de Cham.

Dans la légèreté de l'air matinal il est resté en absence, immobile, sans pensée, presque sans souffle. Un grand sphex au corps frémissant passe sur le bord des bassins. Il traîne une araignée anesthésiée. Dans la pénombre de la treille, Cham se dit: De quoi es-tu malade?

Pendant ce temps Alex le cherche par les jardins, elle passe d'une terrasse à l'autre, elle s'approche, il sent qu'elle s'approche. La voilà près des cyprès. Elle bifurque. Elle longe le mur couleur de lichen. Elle passe sous l'arche. Elle hésite, elle tourne sur elle-même pour poser le pied sur la première marche de l'escalier de la source. Il est là, à quelques mètres d'elle, immobile dans l'ombre de la treille. Il la voit et en tombe immédiatement amoureux. Allons, se dit Cham, comment peut-on tomber immédiatement amoureux de quelqu'un qu'on aime depuis plus de trente ans? — Que savons-nous? se répond-il, amnésie perpétuée par la passion? — Mais quand même, en quoi cette femme est-elle si surprenante au point d'en tomber amoureux lorsque tu l'aimes déjà? Aimer ne te suffit-il pas? — Non, l'aimer ne me suffit pas. Si je n'avais fait que l'aimer il y a longtemps, je crois, que je m'en serais détaché. A tout moment j'en tombe amoureux, voilà le secret. Depuis plus de trente ans, quarante presque, nous nous sommes mis en boucle, sauf qu'à chaque boucle, bien qu'elle soit pareille, la musique est différente... Elle est là, à quelques mètres, il la voit, sa grâce, son aisance à vivre dans son corps le met en telle admiration qu'il s'empêche, qu'il se retient, qu'il se retient d'aller vers elle. Il n'aurait pourtant qu'à faire un mouvement, à prononcer son nom... Mais la vision est si forte qu'il reste muet, l'esprit, le regard, sa capacité d'attention concentrée sur cette femme fluide dans le satin fendu, cette femme dont la jambe longue vient de se poser sur la marche qui descend vers les bassins. Et encore, comme toujours, il ressent la commotion de l'éblouissante prise de conscience : tu vis dans l'intimité de cette femme. Son cœur bat vite de la surprendre. Et au lieu de signaler sa présence, il s'applique à retenir, arrêter, enregistrer les fragments, image par image, du long mouvement qui la fait tourner sur elle-même, un bras levé, l'autre prenant un léger appui sur le mur, le corps comme s'enroulant sur lui-même dans le satin dont il aime à la folie la fluidité un peu gluante. De toute ses forces — comme chaque fois, ah, comme chaque fois ! — il veut retenir en lui l'image de beauté. Saisir ce geste de torsion sur elle-même dans ce changement de direction qui fait voler autour d'elle ses cheveux en masse, les pans du satin clair, créant un mouvementé d'herbage, de feuillage, d'air, désorganisant le paysage, le mettant brusquement en tumulte autour de son éblouissante présence de femme d'alcôve. Rester ainsi, se dit Cham, à jamais près des bassins, à capter ce mouvement d'enroulement qui jamais ne s'achèverait...

Elle a senti sa présence. Sans pour cela interrompre son élan, voilà son corps qui continue à pivoter, poursuivant son retournement, et repart dans la même foulée maintenant, de marche en marche, vers lui qu'elle a vu. Ils rient. Elle de le surprendre, lui de sortir de l'absence. Ils rient aussi de l'incongruité de l'image qu'ils, qu'elle surtout offrirait à un regard étranger, ainsi dévêtue, transportant avec elle ses ombres et ses clartés parmi les terrasses de ce jardin ancien. Ils semblent s'être donné rendez-vous sous ces feuillages, ils ne peuvent résister au plaisir d'imaginer avoir été en oubli l'un de l'autre, et être en retrouvailles d'amants. Il l'attire contre lui, il l'aime, il le lui dit, il respire son parfum, là, à l'orée des cheveux.

Maintenant ils parlent, assis, sur le rebord des bassins de grès rose. Il garde dans les siennes ses mains de femme, il fait tourner entre ses doigts ses bagues de femme, ses bracelets de femme. Ils s'étonnent d'accueillir avec le même plaisir toujours renouvelé la superposition des sensations : celles du présent, et celles multipliées à l'infini du souvenir — comme s'il s'agissait d'un arc de sensations mises en images, toutes pareilles et pourtant toutes différentes, tendues à travers ou par-dessus le temps, un arc au sommet duquel ils se trouveraient réunis, à la crête du temps, hors avenir, hors passé, comme au premier jour de la rencontre. Elle a posé sa main sur le cou de Cham ; il sent ses doigts longs et souples sur lui et cela l'apaise. Mais au lieu de s'abandonner à cet apaisement, il ne peut empêcher son regard de s'échapper. Et il sait qu'encore il lui faudra, malgré lui, déchiffrer, nommer, mettre en forme l'immense désordre au milieu duquel il tente constamment de les situer, elle et lui. A mesure que son regard glisse, passant du détail à l'ensemble, il constate avec lassitude qu'il n'échappe ni au peintre ni à celui qui écrit, que la machine à identifier, à mettre soit en formes soit en mots ne cesse à aucun moment de fonctionner. Il nomme, il nomme tout ce qu'il aperçoit, reconstruisant par des associations de vocables, solidifiant par les mots les formes fluides et changeantes qui les entourent. Et en même temps une autre part de son esprit projette sans fin, par-dessus les choses, des lignes que son œil arrête et maintient... pendant que celui de ses sens immédiats baise les lèvres, les paupières, le cou, les épaules de cette femme « sienne ».

Tout à l'heure, se dit Cham, tu commences la toile que tu avais préparée l'autre jour. Remets-toi en jeunesse! Par la peinture, la part que tu ne peux contrôler de ta pensée suivra ta main en train de peindre et tu seras dans *cette réalité-là*. Hors de la réalité du monde qui va, tu toucheras le point exact de ta vitalité. Tu retrouveras l'état un peu perdu du peintre-peignant, cette absence ou plutôt cette surprésence, ce dédoublement du peintre dont une part se tient en vie mais sur un mode vague, un peu asphyxié, pendant que devant lui, par sa main, la matière s'organise. Comme dans l'abandon physique, ce n'est qu'au moment ou tu cessais de peindre, souviens-toi, en revenant au réel, que tu prenais conscience qu'il y avait eu perte de réalité, qu'il y avait eu crise, que tu étais entré en sur-réalité. Le tableau était là, surgi. Il était la crise. Trace d'un état incernable par tout autre moyen. La crise était restée *prise* dans le tableau qui se tenait là, debout devant toi, hors de toi.

Maintenant Cham et Alex remontent de terrasse en terrasse, vers leur maison. Elle, devant lui, légère d'une marche à l'autre, lui, d'une allure plus ralentie, tendu dans le désir de définir l'image d'Alex passant d'une terrasse à l'autre d'un mouvement dont il constate, à mesure qu'elle prend de l'avance sur lui, l'immatérialité pendant qu'elle glisse le long des cyprès et que la sonnerie du téléphone scande sa course.

Karlsen et le Dr V. souhaitent passer tout à l'heure.
« Aucune nostalgie de la peinture, vraiment? » a dit le Dr V.
Cham a dit en riant: « Rien ne me met plus en paix que d'être CR, le peintre mort dont les toiles de jeunesse sont presque introuvables aujourd'hui.
— Et aucune tentation d'en peindre de fausses, par exemple? »
Karlsen s'était figé, en attente de ce que Cham allait répondre. Cette question si exacte embarrasse Cham. Il dissimule, il plaisante, il voudrait dériver sur un autre sujet. Mais le Dr V. insiste. Il a senti sans doute:

79

« A votre place, je ne résisterais pas à la tentation de revenir à votre première vocation... de peindre en secret une œuvre fantôme, non? Au grand jour celui qui écrit, et en secret dans l'obscurité de votre atelier, le peintre œuvre produisant des toiles qu'il signerait CR et s'amuserait à dater de 1947, 1950, 1960, etc., etc.

— Et que j'achèterais, ajoute Karlsen, et revendrais sans problème. Allons, Alex, tu devrais pousser Cham à peindre de nouveau. »

Alex dit qu'elle trouverait merveilleux que Cham peigne de nouveau, que rien ne devrait l'empêcher de peindre, tout en continuant d'écrire: « Mais pourquoi des *fausses*?

— L'idée d'être son propre faussaire, dit le Dr V. en agitant ses mains blanches et molles, très séduisant! Peindre en se mettant dans la peau de celui qu'on a été, devenir celui qu'on a été, retomber en jeunesse, transformer sa jeunesse en or, transmuer sa jeunesse, oser ce pacte sulfureux. Quel artiste malade résisterait? Lorsque j'étais à la barre de l'immense nef de six cents délirants que vous savez, les quelques, je ne dirais pas guérison — nul ne guérit jamais — mais disons les quelques rémissions furent le fait d'individus qui, par une sorte de saut périlleux psychique de haute volée, osèrent signer le pacte sulfureux: leur âme usée par la folie contre l'or de la jeunesse. Et vous, à qui l'occasion s'offre d'elle-même, vous hésitez? Mais hésite-t-il vraiment? Dites-nous, Alex, hésite-t-il vraiment? Il m'a semblé voir cachée dans ce coin obscur une toile vierge récemment préparée. »

« Bonheur d'être un peintre mort », dit Cham. Par cette phrase il exprime sur un mode comique sa secrète ambition: être et ne pas être à la fois. Etre par ce peintre mort dont les tableaux passent de main en main, et être celui qui écrit — donc invisible, retiré, incernable. *D'en haut*, Cham assiste, à l'abri, au troc qui s'organise. Le Dr V. dit: « Avec l'argent que notre ami Karlsen vous verserait contre de fausses œuvres de jeunesse, qui vous empêcherait de racheter de vraies œuvres de votre jeunesse ? Quelle plaisanterie tentante, non ? J'entre dans une galerie : combien cette œuvre de CR ? Je paye et je ressors avec un tableau de mon ex-moi sous le bras. Quelle opération comique, non ? A votre place, Cham, je ne résisterais pas. L'ex-peintre devenu son propre faussaire, s'offrant une œuvre authentique, jeunesse contre jeunesse. »

Il est temps d'agir, se dit Cham, dès que le Dr V. et Karlsen s'en étaient allés. Aujourd'hui tu brûles les tableaux que tu as mis de côté dans le coin maudit de ton atelier. Tu dois définitivement les mettre hors de vue ! Mais avant de brûler, il ne peut résister à la tentation de poser sur le chevalet la toile qu'il avait préparée en secret l'autre jour. Il te sera apaisant d'entrer dans ces vieux gestes qui à une certaine période de ta vie ont porté tes espoirs. Tout travail a ses gestes apaisants. Plus on va vers le geste su, se disait Cham assis devant la toile vierge, plus il contient de possibilité de mise en bonheur. Ah, j'ai envie de me mettre en bonheur ! Ah, danser la peinture ! Te mettre vis-à-vis de la toile et ne cesser d'aller et venir jusqu'à ce que *quelque chose*, une présence commence à surgir. Comme si, redevenu peintre, ton corps savait ce que tu croyais oublié : cette « gestuelle » qui procéderait de la danse, alors que peu à peu se précise le *regard* du tableau, que peu à peu émerge la présence du tableau. *L'œil* du tableau sur toi ! Et en même temps, se disait-il encore, hésitant devant la toile vierge, avec quelles délices tu étais passé de ta première vie en cette seconde, de l'acte de peindre à celui d'écrire, de la position verticale à l'assise ! Qu'il fut merveilleux ce temps où de régler la lampe au-dessus de la feuille te mettait en paix spéciale! La feuille! Ce trou blanc! Tu te penches sur ce vide jamais rempli, tu te penches... tu penches et te voilà englouti. Pauvres sont les gestes de celui qui écrit. Nuls. Le coup de main qui rassure ici n'a pas de prise. Bien faire? Quoi? se dit Cham en se levant et en pressant des couleurs sur la plaque de verre qui doit lui servir de palette. Rien n'est jamais achevé pour celui qui écrit, se dit-il en trempant la brosse dans le médium qu'il transporte et mélange aux couleurs, tout n'est que brouillon pour celui qui écrit, et sans cesse remplit la corbeille. Ça se broie dans le vide pour celui qui écrit, poursuit Cham en posant de grandes formes sur la toile vierge verticale élastique.

Sous sa main quelque chose commence à se préciser, le voilà en jeunesse. Ah! En vis-à-vis de lui, la toile, là! Il peint et voilà que le soleil est entré dans l'atelier. Le soleil! Les éclaboussures! Les salissures! Brusque remise en adolescence. Ah, que tout est simple, qu'il est simple ce dialogue entre toi et cette chose debout dont tu cherches à *ouvrir* le regard sur toi! Surface aveugle qui tressaille, te fixe un instant puis retombe au chaos... te fixe de nouveau, s'éteint, s'éteint... et soudain la présence du tableau, *l'œil* du tableau sur toi: là où il n'y avait rien, voilà qu'il y a. Cham pose le pinceau et s'assied. Brusque état de répulsion. Son corps entier broyé dans un spasme. Il sue, assis sur le fauteuil rotatif. L'esprit vidé, il contemple ses mains maculées, salies de bleu, de jaune, d'ocre. Est-ce donc cela ta jeunesse? As-tu ressaisi ta jeunesse? Ah, que tout cela me répugne! Retourne à ta table, se dit-il, va là où tu sais que ta pensée touche presque, cerne, capture... quoi? Du rien, du vide. Griserie du vide pour celui qui s'assied en écriture. Griserie qui t'a consolé, souviens-toi, du trop-plein de la peinture. Et pourtant, regret de cette sorte d'orgasme spécifique, de cet apaisement par la chose faite que l'écrivain ne connaîtra jamais puisque même l'objet-livre enfin venu dans sa main ne le renvoie que plus cruellement à *l'intouchable* vent des mots.

Maintenant, assis sur son fauteuil rotatif, il regarde fixement la fausse toile de jeunesse ébauchée. Où jeunesse? se dit-il, quoi jeunesse? Un horrible hélicoptère noir se tient au-dessus de leur maison, repart vers les collines, revient. Allégorie de mort? Arme de mort réelle! Cham sort dans la lumière, il traîne les toiles condamnées qu'il entasse derrière l'atelier. 1965, 1966, 1967. Par-dessus il jette l'ébauche répugnante du « faussaire ». Il arrose d'essence; le feu jaillit: voilà Cham en bonheur.

Alex a vu le feu par la fenêtre de la salle de bain. Elle accourt. Elle ne peut rien. Elle reste près de Cham, muette, pas en pleurs, non, en larmes silencieuses devant les toiles que le feu fait fondre et couler.

Voila le Dr V. Ils n'ont pas entendu la jeep: le grondement de l'hélicoptère noir qui de nouveau s'est mis en vol fixe au-dessus d'eux, attiré sans doute par la fumée rousse qui s'élève droite dans le ciel. « Est-il possible que j'arrive trop tard! » dit le Dr V. Cham ne répond rien. Il est en délice d'insensibilité. Il regarde intensément. Dans le feu, il voit la femme en noir. Peu à peu le feu la déshabille, les flammes la pèlent de ses habits, ah, sa peau! ah, les cicatrices sur toute sa peau! La peinture grésille comme du gras de viande, ah! Cham voit des chairs. Il crie: « Que faites-vous? »

Le Dr V., Marti, Alex, dispersent les toiles brûlées, éteignent le feu sur les châssis, sauvent des cadavres de tableaux. Cham se maintient debout, sous l'hélicoptère noir. Malade. Et à la fois apaisé. Sorti de la crise.

Depuis il est en confusion. Quand était-ce? Peut-être deux jours après ce feu de toiles. Comme si des éclats de ce feu avaient pénétré son œil, brusquement Alex a vu des étincelles de lumière à l'intérieur de son œil droit. « Le soir c'est comme des barres de néon », dit-elle. Examen de l'œil auquel Cham assista dans un coin du cabinet obscur, encombré d'appareils d'une beauté étrange. L'œil d'Alex transformé en diamant dont s'échappaient des rayons rouge, or et bleu. Son visage que Cham devinait dans la pénombre, le front, le menton tenus. Et cet œil minéral dans lequel pénétrait le regard du spécialiste comme dans une grotte immense. A un moment il a demandé:

« Voyez-vous les nervures que font vos veines?

— Non, a dit Alex, je vois comme un désert craquelé sous un soleil terrible. (Exact sujet du tableau auquel elle travaille depuis leur retour de Venise.)

— Vous avez de la chance, ce n'est qu'un corps flottant qui tire sur le vitré.

— C'est beau de pouvoir voir l'intérieur de son œil », a dit Alex.

Ils sont sortis, tous les deux soulagés, joyeux, emportant avec eux le: *vous avez de la chance* du spécialiste.

Le Dr V. les attendait devant la maison, assis sur le banc au milieu des lys. « J'étais là, sans vous, et je me disais: fascination de l'immobilité face au cauchemar universel! A un moment l'hélicoptère noir qui nous avait survolés pendant que brûlaient vos tableaux est revenu. Il est resté un long moment en vol fixe au-dessus de votre maison. Puis il est reparti et le silence qui en est résulté a été vraiment terrible. L'ex-soigneur de névroses ne peut rester sans réagir devant votre mode de vie pervers. Vous vous êtes mis en danger de ne plus pouvoir survivre dans ce monde qui se met

84

en place et qui ne ressemble même plus à celui que vous avez déserté. Le silence dans lequel vous vous êtes ensevelis ne peut que vous inciter à un plus grand retrait encore. On cesse de peindre puis on détruit ses tableaux puis on se demande pourquoi ne pas traiter l'écriture comme on traite sa peinture... et la tentation de brûler ses manuscrits devient irrésistible... Je sais, vous allez me dire que vous avez besoin de vous sentir exclu, que vous avez besoin de vous croire persécuté, etc.

— Mais tout me persécute, dit Cham, et cette persécution...

— Imaginaire, l'interrompt le Dr V.

— Imaginaire ou pas, peu importe, cette persécution excite ma fantaisie. Elle incite ma fantaisie à torturer mon talent...

— Jusqu'à la folie. Croyez-moi, Alex, vous ne devez pas être complice, vous ne devez pas prendre le risque de l'accompagner si loin. Vous devez combattre son orgueil.

— Mais mon orgueil aime son orgueil. Ma fantaisie aime sa fantaisie, dit Alex en souriant

— Eh bien, nous vous empêcherons de poursuivre, dit le Dr V. Notre ami Karlsen veut votre bien, moi-même je vous veux du bien. Nous sommes décidés à vous sauver de vous, malgré vous, par la peinture... Comme les folies de la peinture m'ont sauvé de mes six cents fous. »

Depuis, le voilà, chez Alex et Cham, à tout moment.

Le Dr V. a demandé à Cham ce qu'il comptait faire des tableaux à demi brûlés restés à l'abandon derrière l'atelier.

« Les arroser une seconde fois d'essence et achever l'œuvre de destruction, a dit Cham.

— Car vous considérez que détruire c'est œuvrer?

— Oui, dit Cham.

— Donc ces tableaux consumés seraient en quelque sorte de nouvelles œuvres de vous ? »

Cham n'a rien répondu.

Le lendemain le Dr V. dit : « Puisque vous vous refusez à les revendiquer en tant qu'œuvres, accepteriez-vous que je m'en empare et les expose parmi mes expériences sur les matières incinérées ? »

Peu importe à Cham.

Il est revenu avec Marti. C'était l'aube. La jeep est montée. Cham les a entendus remuer les restes calcinés qu'ils ont chargés aussi discrètement qu'ils l'ont pu. Tu ne dois pas sortir, se disait Cham, tu ne dois pas assister à cela. Reste sous les draps, n'ouvre pas les volets, demeure en sommeil. Mais refusant de s'obéir, il avait bondi hors du lit et il s'était précipité derrière l'atelier. Le Dr V. et Marti venaient d'assujettir les restes noircis sur lesquels ils avaient jeté une bâche en plastique et noué une corde. Un brouillard tropical stagnait dans le vallon. La jeep avait vite disparu dans la longue allée entre les mimosas, emportant les toiles brûlées. Cham ne s'était pas montré.

Dans l'après-midi, les revoilà.

« Vous sachant endormi, Marti et moi, nous sommes venus comme des voleurs. Nous avons discrètement chargé la jeep de ces restes trop parlants. Chez vous l'aube est précoce. Notre ami Karlsen aurait dû s'aviser qu'il achetait plus d'ombre que de lumière en décidant de s'installer près de vous. Il flotte en bas une atmosphère malsaine. Heureusement, il y a Marti. » Il pose sa main un peu grasse et molle sur le cou du jeune gardien. « Ce garçon a un sens étonnant de la nature. C'est Pan, ne trouvez-vous pas ? » Marti semble agacé mais ne dit rien. Son regard est sombre, fuyant. Le Dr V. observe Cham. Sourire blanchâtre, trop doux. « Dites-moi, j'aimerais savoir. Etes-vous soulagé, vraiment par la destruction de vos œuvres... disons de post-jeunesse. En les détruisant, les avez-vous vraiment effacées ? Ces restes noirs, sublimés par les flammes, ne demeureront-ils pas toujours une part indestructible de vous-même ? L'essentielle peut-être, non ? Franchement, ne regrettez-vous pas votre geste ? — Oh, sûrement pas ! dit Cham en riant. — Alors, très bien. J'emporte tout ça ; vos œuvres calcinées c'est moi qui désormais les assume. Karlsen est d'accord pour que je les expose avec mes expériences sur les matières plastiques fondues. »

Le lendemain il dit: « Supposons que l'autre jour nous ne nous en soyons pas mêlés, et que vos œuvres aient brûlé jusqu'à n'être plus qu'un insignifiant tas de cendres. Croyez-vous que cette *absence* ne serait pas restée *présente* dans *un quelque part*, un peu comme Neptune, par exemple que les astronomes n'ont jamais pu voir mais qu'ils *savaient* par les différentes forces de répulsion et d'attraction mises en tension. Sa place était là, ils constataient d'après l'infléchissement des orbes et mouvements des autres planètes qu'une masse mystérieuse roulait dans la nuit. Ils en avaient déduit la densité, la trajectoire ; son absence était devenue pour eux plus présente que la visibilité des autres corps qu'ils pouvaient suivre avec leurs télescopes. Voilà qu'une partie de votre travail de peintre a été occultée. Peut-être même la part essentielle de votre travail sur toile, la moins plaisante, la plus révélatrice — sans ça pourquoi vous seriez-vous acharné, malgré Alex, malgré nous, vos amis ? En détruisant ces tableaux-là et non ceux d'avant ou ceux d'après, vous avez frappé le lieu de la tumeur, le lieu du nœud mental autour duquel tout le reste s'est organisé malgré vous. Vous me comprenez ? Le manque de ces tableaux ne révèle que plus tragiquement ce que vous croyez avoir réussi à dissimuler par le feu. Quoi que vous fassiez, ces tableaux absents auront cette sorte de surprésence que les astronomes ont longtemps prêtée à l'invisible Neptune. Je suis très impatient et curieux d'en exposer les cadavres. Hier soir, je les ai observés dans la grange du domaine. Ça ne ressemble à rien, les formes peintes se sont mêlées en quelque chose d'innommable. Et pourtant, je suis frappé de leur *présence*. Même Marti l'a ressentie. N'est-ce pas Marti ? Ce garçon est d'une étonnante sensibilité. Qu'as-tu dit, Marti, devant les tableaux détruits ? »

Le visage de Marti se crispe : « Je n'ai rien dit.

— Mais si, tu as parlé de ce qui se passe sous terre, non ? Vraiment ce garçon est merveilleux. Il a dit que puisqu'un arbre, une plante, tout ce qui pousse ayant en quelque sorte son double sous terre, il ne suffit pas de brûler en surface. Qu'est-ce que tu as dit, Marti, à propos des toiles ?

— Je n'ai pas parlé des toiles. J'ai parlé de la propriété restée si longtemps à l'abandon. J'ai parlé de la sauvagerie de l'abandon.

— Mais tu as parlé de la sauvagerie de l'abandon devant les toiles brûlées de notre ami, non ?

— Peut-être. C'est possible. J'ai peut-être bien dit quelque chose comme ça. Mais je ne m'en souviens plus.

— Mais à propos des branches, des fleurs, des feuilles, tu n'as pas dit que c'était le moindre de la réalité, n'as-tu pas employé ces mots ?

— C'est possible... Je ne sais pas...

— Hier, je lui ai demandé si de rester seul en bas dans ce trou ne le déprimait pas. Qu'est-ce que tu m'as répondu ? Écoutez ça...

— Mais je ne sais plus, moi...

— Tu as parlé de la propriété comme de quelque chose de

vivant... N'as-tu pas dit que notre ami Karlsen avait eu tort de s'en emparer. Tu as bien dit ça?

— Je ne sais pas, je ne m'en souviens plus. Peut-être, en effet, a-t-il eu tort... »

Le Dr V. l'écoutait avec une expression d'intense ravissement.

Quelques jours après, le Dr V. était arrivé seul, à pied par la forêt. Des nuages bas, d'un noir profond passaient à hauteur des collines. Il ne pleuvait pas mais l'air était saturé d'humidité. Il avait surgi derrière les vitres sales de l'atelier. Avisant les volets ouverts, il s'était précipité contre la fenêtre. Il avait frappé. Et que faisait Cham dans son atelier, ce matin-là? Il était en seconde tentative de se remettre en jeunesse par l'acte qu'il s'était défendu. Alex se trouvait avec lui, assise sur le divan. Le Dr V. s'était mis à frapper les vitres. Le vent agitait les pans de son imperméable blanc. L'orage était dans les collines, l'air tremblait de lueurs brèves. Le Dr V. insiste. Cham fait signe à Alex de ne pas bouger. L'atelier est trop sombre pour qu'il puisse les voir de l'extérieur. Cham reste figé, le pinceau en l'air, devant la toile barrée de premiers traits de couleurs. Gémissements du Dr V.: « Cham, Alex, vous êtes là? » Cham ne bouge pas. Alex a passé un doigt entre les pages du livre qu'elle tient sur ses genoux. Elle non plus ne bouge pas. Il fait le tour de l'atelier et vient frapper à la porte-fenêtre. Rapidement Cham dissimule la toile ébauchée, la palette, les pinceaux, et va ouvrir.

Je ne peux supporter cette façon qu'il a de toucher mes vieilles toiles, se dit Cham exaspéré par l'intrus. Sans se gêner, le Dr V. en retourne au hasard, allant d'un tas à l'autre. Soudain il s'adresse à Alex: « Connaissez-vous le cimetière juif du Lido? — Oui, dit Alex. — Cet atelier bouleversé m'y fait penser. Ces toiles debout qui penchent en tous sens comme des stèles, ce désordre désolé, cet abandon... Un jour que je me promenais parmi les tombes, j'ai remarqué, gravés sur une pierre levée, deux petits personnages portant sur leurs épaules une grappe de raisin énorme, accrochée à un bâton. Ils étaient coiffés de chapeaux à bords larges. Très surprenant, ces figures humaines parmi les signes hébreux. Ces petits porteurs de grappe dans ce chaos de tombes éventrées. Preuve tangible de l'espoir, cette grappe trop lourde, non? Où est-elle ici? Je vous demande de me la montrer, vous Alex qui connaissez chaque toile de ce cimetière, où est-elle la grappe de l'espoir? — De quoi parlez-vous? » dit Cham. Le voilà en vertige. Les tableaux ondulent autour de lui. Il s'est assis près d'Alex. Dans la pénombre de l'atelier, il voit les mains molles et blanches du Dr V. Elles s'agitent quand il parle. Les décharges électriques continuent à trembler au loin, le faisant par moment sortir de l'ombre. « Qu'avais-je besoin de peindre la grappe de l'espoir? dit Cham, énervé. C'est à partir de la terre promise, d'en vivre le bonheur avec Alex, c'est après avoir touché la terre promise de ce vallon, avec ses grappes et ses fleurs, que j'ai commencé à peindre mes toiles désespérées. C'était comme si notre vie intime, en se clarifiant par ce lieu, m'avait rendu lucide sur les effrois du monde, et qu'en peignant j'avais déposé, à mesure, ici, dans l'obscurité de mon atelier, ces sortes de déchets d'angoisse que sont mes toiles. » Le tonnerre se rapproche; des traits de foudre tremblent à travers l'eau qui ruisselle le long des vitres. Soudain, à l'instant d'un éclair, apparaît la femme en noir. Elle est assise parmi les tableaux entassés. Cham en reçoit la violente douleur. Bref éblouissement. Elle n'est pas seule. Entre les toiles levées, c'est maintenant une foule qui va. Une foule silencieuse se précise puis s'efface avec les éclats de la foudre de plus en plus proche. Cham reste immobile, le regard fixé vers les étroits couloirs laissés par ses tableaux, où glissent des présences attachées par des sangles. Quelqu'un est là, crucifié, très jeune, la tête renversée vers le plafond, les jambes réduites sous lui, il avance sans bruit... ils sont même deux de front ; l'autre, Cham l'aperçoit tout à coup dans l'aveuglement de la foudre proche ; ils se soutiennent mutuellement. Ils sont nombreux à passer de l'ombre d'une toile à l'autre, profitant des intervalles lumineux. Ils n'ont pas d'âge, ce ne sont ni des adolescents ni des hommes ni des femmes, ils passent magiquement ; la plupart ont les yeux fermés, leurs têtes penchent... Alex interroge Cham des yeux. Il lui sourit revenant peu à peu à la réalité. Que dit le Dr V. ? « Vous étiez en train de peindre lorsque je suis arrivé. Croyez-vous que je n'ai pas senti l'odeur de térébenthine ? Croyez-vous que je n'ai pas remarqué vos mains souillées ? » Le regard oblique, toujours posé sur ces présences qui remuent et continuent à se déplacer parmi ses toiles levées, Cham dit : « Laissez-moi. Je suis en nausée. En nausée de peinture, de Karlsen, de vous, de ces toiles qui, jusqu'à ce que vous soyez venus avec Karlsen, gisaient oubliées dans le noir de cet atelier resté fermé depuis tellement d'années. J'avais oublié ces toiles, comprenez-vous, je m'étais tourné vers ma vie, ici, avec celle de ma vie, je me tenais aussi fort que possible à ma vie, ici. Par l'écriture, notre vie, entre ici et l'Italie, avait pour moi la somptuosité d'un rêve nocturne dont je m'efforçais — par le rêve diurne de l'écriture — de restituer l'étrange fascination. J'étais ce dormeur qui, couché sur lui-même, rêvait — par l'écriture — une seconde fois son rêve. Et voilà que Karlsen a refait surface ici, vous voilà vous aussi, j'ai rouvert cet atelier, vos mains, celles de Karlsen, les miennes se sont mises à remuer ces tableaux oubliés et me voilà tout à coup comme l'homme encore debout que l'on vient de couper en deux, de haut en bas, d'un vigoureux coup d'épée. Ça tient encore ensemble bien que sur le point de s'effondrer de part et d'autre. J'ai besoin de retrouver une absolue solitude avec Alex, comprenez-moi, je capte trop, je sens trop. Je suis en drogue de moi. Je suis aiguisé d'être en drogue de moi. De voir, d'entendre me met en trop forte exaltation-dépression. Il y a au fond de moi comme une hernie, là où toutes les sensations sont rassemblées pour être transmuées. Mon esprit bute, refuse, je dois le malmener pour qu'il réussisse à verser dans le langage ce qui appartient à la vue, à l'ouïe, à l'odorat. Votre présence, la présence de Karlsen, et même la présence de Marti, lorsque Karlsen n'est pas là, m'empêchent, me sont un terrible empêchement. » Et Cham ajoute, riant bizarrement: « Avec quel bonheur, si je le pouvais, peindrais-je des toiles de jeunesse. Pas de fausses, non! De vraies car l'acte de peindre est jeunesse. Mais voyez-vous, pas plus que la nostalgie par les mots ne réussit à enrouler le temps à rebours, les couleurs ne vous remettent en jeunesse. J'y ai cru brièvement en l'or de la rejeunesse. Je l'ai secrètement espéré. Vous m'avez tenté. Karlsen m'a tenté. Je l'ai tenté ironiquement. Je peux vous assurer qu'à partir de maintenant c'est fini, je ne toucherai plus jamais à une palette, à des pinceaux, à une toile. »

« Bien sûr, avait dit Cham un peu plus tard à Alex, maintenant que j'ai été tenté, que j'ai touché de nouveau une toile vierge des pinceaux des couleurs, que je me suis replongé en peignant en mes gestes d'adolescence, je ne pourrai m'empêcher de renouer avec cette part de moi-même que j'avais cru laisser pour morte. Mais comment? » Alex n'avait rien dit, Cham avait senti qu'elle retenait en quelque sorte sa respiration...

92

Enfin, le Dr V. était parti pour les Etats-Unis, emportant avec lui les tableaux brûlés.

Alex et Cham se retrouvent seuls dans le silence de la forêt.

Ce matin, les nuages se sont entrouverts et une tache de soleil d'un jaune chaud a éclairé les collines. A l'ouest, la foudre continue à frapper, mais jusqu'à la mer les collines sont jaunes de soleil. De grands nuages violets arrivent vite au-dessus des terrasses du jardin suspendu. La foudre descend en longs traits vers les crêtes, tout autour. Puis le ciel peu à peu se calme, un vaste trou bleu s'ouvre au-dessus des montagnes. Des bandes de mouettes passent en glissant comme aspirées par le vide lumineux qui aussitôt se referme. Et c'est encore la foudre, de grands éblouissements, les échos du tonnerre de vallée en vallée. Une brusque pluie fait un bruit de mousson. Cham et Alex mettent des bottes, des cirés. Ils sortent marcher sous la pluie. Et tout en marchant, ils parlent. Ces journées qui ont succédé à la destruction des toiles par le feu ont été de souffrance pour Alex. « Je suis obsédée par ces toiles brûlées », dit-elle. Elle tient à ces tableaux, elle a vu Cham les peindre, elle en a vécu la peinture. « Promets-moi de ne plus en détruire. Oublie celles qui restent; fais-en de nouvelles. — Mais je ne peux les oublier maintenant qu'elles ont été en quelque sorte réveillées par Karlsen, par le Dr V. ; elles sont là, terriblement présentes en moi. »

Ils avancent dans les bourrasques de pluie. Ils suivent le chemin de crête. A travers les brumes basses, qui glissent sous eux en grands lambeaux étirés, ils devinent la propriété de Karlsen, ses toits luisants. Ils restent un moment debout sur un rocher en étrave, au-dessus du vide. Leurs cirés noirs frappent leurs jambes.

« Non, je ne peux te promettre », dit Cham en riant. Et ils s'en retournent.

Maintenant ils se sèchent devant le feu de la cheminée. Les flammes déplacent les ombres sur leurs visages. Ils parlent face aux flammes ; paroles d'Alex à la fois rieuses et graves. Ses yeux sont sur Cham à travers les déplacements d'ombres. Peu à peu elle le persuade. D'accord, il ne touchera plus à ses anciens tableaux. Il prend ses mains. Il ressent un vertige, comme une absence à tout ce qui n'est pas ça, l'instant là. Les battements de son cœur pourraient s'arrêter net. Il lui semble qu'il n'est plus tout à fait en vie pour ressentir si violemment la vie. Un silence très doux les tient sans mouvement, presque sans respiration. Cham se sent calmé, un grand apaisement est en lui.

Mais le lendemain, il n'a pu s'empêcher de retourner dans son atelier. Il est resté une grande partie de la journée assis sur son fauteuil rotatif devant les toiles de différentes époques qu'il avait mises en équilibre les unes sur les autres pour en voir le plus possible ensemble.
Le feu, se dit-il, quand même le feu !
Il se sent calme, très calme.
Et malgré elle, malgré sa promesse, il ne résiste pas. Voilà qu'il traîne dehors le second tas de tableaux, celui qu'il n'avait pu brûler la première fois. Il arrose d'essence...

Ce second feu a mis Cham en apparente tranquillité. Depuis, il est calme, vraiment calme. Plus de maux de tête. Calme profond. Te voilà délivré ! Il a refermé son atelier. Ce qui reste de ses toiles doit rester oublié dorénavant, hors regards. Il est calme. Il ne se véganise plus. Il dort sans rêves. Ce second feu a en quelque sorte occulté le premier. Il s'y est superposé. Depuis, Cham est en confusion calme. De son côté, Alex s'est abstenue de réagir à ce second feu. Un tas de toiles à demi brûlées gît maintenant dans l'herbe, derrière l'atelier. Alex fait comme si elle ne les voyait pas.

Autre chose : cette fois, Cham s'est empêché de détruire la toile commencée pendant l'orage et achevée depuis le départ du Dr V. Il l'a retournée contre le mur de l'atelier. Tu dois l'oublier, et ce n'est seulement qu'en revenant d'Italie que tu la mettras au jour. Tu ne dois plus y penser. Il ne veut pas savoir ce qui s'est peint. Sans se l'avouer, il espère. Qu'espère-t-il ? Tout cela le met en confusion. Il espère être surpris, et il craint de l'être. Si cette toile n'est qu'une fausse toile de jeunesse, cela n'aura été qu'un jeu. Ne trouvais-tu pas très stimulante cette idée de peindre des toiles qui à la fois seraient de toi et de cet autre toi depuis longtemps disparu ? De soi-disant œuvres de jeunesse qui, pour quelqu'un qui connaît bien tes toiles, n'en seraient pas vraiment. Quelque chose de tout à fait neuf que ta main aurait peint par facétie, en profitant d'un relâchement de tension, pour te surprendre. Ton premier mouvement avait été de te mettre au défi. N'espérais-tu pas te mettre en grâce ? Mais au premier essai tu n'avais fait que t'enfoncer. Voilà pourquoi tu as incinéré ce premier essai avant même d'avoir eu le temps de voir, de te rendre compte de ce que ta main restée si longtemps sans peindre avait peint. Pourtant reconnais que de repeindre t'a remis dans un corps sans tête. Ton corps a bien retrouvé les gestes. Ta main n'a pas hésité à se mettre au service du faussaire de ta jeunesse. Elle aurait volontiers signé CR comme elle signait CR, il y a près d'un demi-siècle de cela, ces premières toiles si recherchées aujourd'hui. Karlsen t'a provoqué. Secrètement ne souhaitait-il pas que tu te mettes en échec vis-à-vis de ta jeunesse en *ratant* justement tout essai de remise en grâce ? Voilà

95

pourquoi tu as insisté. Tu ne t'es pas contenté d'un premier essai raté. Tu as poursuivi, tu t'es risqué à peindre une seconde toile par laquelle tu espères mettre en résurrection le peintre juvénile qu'au fond de toi tu te sens être encore.

Tes « fausses » toiles de jeunesse doivent dépasser en jeunesse et en splendeur tes vieilles toiles de jeunesse, se disait encore Cham, après avoir retourné contre le mur de son atelier la toile fraîche, dans l'espoir qu'elle *vieillirait* bien. Pas d'autre solution! N'est-ce pas aussi l'enjeu de cette nouvelle lutte entre Karlsen et toi?

VIII

Une lumière vert or les cerne d'un trait embué, et cette épaisseur estivale qui les enveloppe de courants tièdes, gluants des parfums du chèvrefeuille, ramène Cham au calme. Il réussit même à prendre quelque recul, à ironiser sur lui-même, sur Karlsen et la propriété maintenant pleine de « passionnés de peinture en vacances ». Tu as cru fuir, et te voilà rattrapé. Tu ne dois pas te laisser envahir. Garde ton sang-froid. Reste maître de toi. Il entend la scansion monotone des cigales, les cris électriques des hirondelles ; Alex et lui sont au centre d'un tourbillon d'azur. Le ciel est d'un bleu tropical. Des nuages blanc bleuté passent sur l'horizon. Cham pense à de très lointaines montagnes neigeuses qui glisseraient doucement. Sur les plans rapprochés des terrasses qui conduisent à la source, dont on entend le bruit d'eau, les roseaux et les yuccas en fleur se balancent. Plus bas, au fond de la dépression, il sait Karlsen et ses amis, arrivés depuis quelques jours. Cham a fait dire par Marti qu'il travaillait, qu'il ne voulait pas être dérangé. Et personne n'est venu. Karlsen l'a respecté...

... Sauf que, justement, voilà la jeep du domaine. C'est Karlsen qui conduit. Près de lui, une jeune femme aux cheveux coupés court : « Que c'est affreusement lugubre en bas, dit-elle aussitôt, c'est comme un grand miroir noir, lugubre et silencieux. »

Anna est longue, pâle, ses poignets sont minces. Karlsen la traite en enfant. Elle marche en tournant sur elle-même comme si elle dansait: « En arrivant, quand j'ai vu qu'on s'enfonçait dans ce trou, j'ai demandé: Mais où est le soleil? Et savez-vous ce que Karl a répondu? Il m'a dit: Demande-le-lui. Lui, c'est ce type aux yeux bizarres qui nous a reçus en bas. Qu'avez-vous fait du soleil? je lui ai demandé. »

Elle entre dans la grande pièce, caresse la machine à écrire, ressort.

« Et vous vivez vraiment seuls, ici, tous les deux? Au moins c'est ensoleillé. Pourquoi n'y a-t-il pas de soleil en bas? Et savez-vous ce que ce type aux yeux fous m'a répondu? Il m'a dit: Si vous n'êtes pas contente, partez. Je lui ai répondu: Vous avez raison. Je pars. Mais Karl n'a pas voulu. Les autres aussi trouvent ce trou lugubre. »

Elle s'assied, se lève: « Je n'y ai rien compris. Vous écrivez ou vous peignez? Karl m'a offert un tableau en me disant que c'était à cause de celui qui l'avait peint qu'il n'avait pas peint...

— Allons, allons, dit Karlsen, Alex et Cham savent tout ça. C'est une vieille histoire entre nous, non? »

Il pose le bras sur l'épaule de Cham, tout en attirant Alex de sa main libre.

« J'ai été leur premier acheteur. Je suis entré chez eux et j'ai prononcé le mot magique: J'achète. A l'époque je peignais un peu... j'écrivais un peu... J'ai dit: J'achète. Et depuis, je n'ai pas cessé d'acheter, de revendre, d'acheter... Viens, Anna, tu vas voir son atelier. C'est une curiosité, un trou noir. Il peignait quasiment dans le noir. »

Recul d'Anna devant l'obscurité, le désordre de ce lieu déprimant que Cham appelle « la grande morgue ». Karlsen retourne quelques toiles. Il va d'un tas à l'autre. Il semble chercher quelque chose.

« Tiens ? Celle-là je ne crois pas la connaître. Tu permets que je la voie ? »

Cham se laisse aller dans le vieux fauteuil de cuir. Il ressent un frémissement dans tout son corps. K. s'est saisi de la « fausse » toile de jeunesse encore fraîche. Il va vers la fenêtre obstruée par les lierres, la présente au jour verdâtre, la fait pencher pour l'éclairer. Alex s'est assise près de Cham sur l'accoudoir du fauteuil. Ils échangent un regard. Les voilà au bord du rire — bien qu'en même temps Cham se sente en détresse d'être là, dans son atelier en désordre, soumis encore une fois aux caprices du marchand de tableaux. Comment Karlsen peut-il ignorer que la toile qu'il tient entre ses mains est fraîche ? Ses doigts collent un peu à la peinture, fripent le blanc d'argent que Cham a eu l'imprudence d'utiliser en sous-couche. Pouvait-il imaginer que cette première toile de sa rejeunesse tomberait si vite entre les mains de Karlsen ? Il l'avait mise à vieillir dans ce coin obscur, derrière ses véritables toiles de jeunesse, là où nul n'avait jamais pénétré depuis des années. Et voilà que K. va droit à elle, qu'il s'en saisit... comprend mais ne dit rien. Au contraire, il joue la surprise : « Tiens. Mais de quand est-elle datée ? Pas datée ? Tiens ? »

Il examine la toile. La montre à Anna : « Elle te plaît ? » Le visage d'Anna se fige : « Mais oui... je ne sais pas... pourquoi ne me plairait-elle pas ? » Elle se déplace dans l'atelier, tournant autour des toiles qu'elle touche du bout des doigts. Elle ne dissimule pas sa répulsion : « Et c'est vrai que vous en avez brûlé ? Ces choses effrayantes que Karl a montrées dans la galerie, c'est donc vraiment des tableaux détruits ? Je ne comprends pas... d'ailleurs je trouve cet entrepôt terrifiant. On sort ?

— Une minute, dit Karlsen. Rejoins Alex, veux-tu. Cham et moi nous avons à parler. Nous restons dans l'atelier. »

Dès qu'ils sont seuls, il dit :

« Que vas-tu faire maintenant de tout ça? Comptes-tu en brûler d'autres?

— La plupart, sûrement. Peu à peu sûrement.

— Sais-tu que l'exposition a très bien marché, à New York?

— Quelle exposition? »

Karlsen rit. Brusquement il se retourne:

« J'ai de l'argent pour toi. Pas mal d'argent. J'ai vendu toutes tes incinérations.

— *Mes* incinérations?

— Mais oui, *tes* incinérations. »

Il ne te reste qu'à mettre le feu à ton atelier et fuir avec Alex, se dit Cham. Karlsen l'observe. Il lève l'œuvre encore fraîche et la penche pour mieux lui faire prendre la lumière. Malgré les années il semble à Cham qu'ils n'ont pas bougé depuis ce jour où le jeune marchand de tableaux et le jeune peintre s'étaient trouvés seuls dans l'étroit atelier sous les toits. « Combien cette toile? » avait dit K. Il se tenait debout, près de la fenêtre blanchie de givre. Et comme en ce moment, se dit Cham, il soulevait devant lui une toile de jeunesse, *une vraie toile de jeunesse*, dont la peinture poissait aussi encore un peu. Il l'élevait pour que la lumière renvoyée par les toits enneigés l'éclaire. Tu avais répondu: « Je ne sais pas, vraiment je ne sais pas... » Jamais tu n'as su donner un prix à ta peinture et de ça Karlsen a toujours aimé jouer. Il avait dit: « Quoi de plus pénible pour celui qui vient de peindre que de donner une valeur à ce qui n'appartient en somme qu'à son esprit? » Tu avais répondu: « Désolé, je ne sais quel prix vous dire. Je ne sais pas montrer ma peinture, et encore moins la vendre. — Je vous comprends, je me suis toujours demandé comment les peintres pouvaient vendre leurs tableaux, comme ça, chez eux, au premier venu. Mais savez-vous, il n'est pas facile non plus d'arriver chez un peintre et de dire: J'achète. » Il allait et venait dans l'étroit espace sous la pente. Trois pas d'un côté, trois pas de l'autre, autant que l'exiguïté de votre mansarde le lui permettait, voilà de quelle mobilité disposait le jeune marchand sous le regard un peu fixe du jeune peintre, se souvient le Cham vieillissant d'aujourd'hui. A deux reprises Karlsen avait manqué marcher sur un escarpin oublié par Alex. Il avait dit, soudain irrité: « Sincèrement, vous croyez à la sincérité? Vous croyez sincèrement que la sincérité c'est se montrer tel qu'on sent? Etaler en quelque sorte les figures de son jeu au grand jour? — Quand on en a la force, oui, je le crois. — N'est-ce pas plus subtil de ne montrer que l'envers de son jeu? » De quoi parlons-nous, te disais-tu, que fait Alex, pourquoi tarde-t-elle? Karlsen continuait à aller et venir dans l'étroit espace libre entre tes toiles: « Et puis avouez, Cham, que la vie serait bien ennuyeuse si nous étions réduits à renoncer à toute comédie. Si aimer et créer c'est renoncer à toute comédie, je n'aimerai jamais et jamais je ne créerai! » Les deux *jamais* résonnaient encore dans le petit atelier sous les toits lorsqu'elle entra, haletante d'avoir monté d'un élan les sept étages. Elle fit irruption dans la chambre en appelant: Cham! d'une voix joyeuse, posa son sac plein de provisions. Surprise, elle dévisagea le jeune marchand, paraissant ne plus se souvenir qui il était. Sous son manteau trempé de neige, elle était pantalon et portait un pull de Cham dont elle avait roulé les manches trop longues. Sa poitrine libre laissait voir la blancheur de sa peau entre les mailles qu'un léger essoufflement distendait...

« Et ça? dit Karlsen, montrant dehors les restes à demi consumés de la seconde incinération. Je vois que tu n'en es pas resté à ta première tentative de destruction. Bien sûr, j'achète! »
Il pose la « fausse » toile de jeunesse, ouvre la porte-

fenêtre et va dans l'herbe jusqu'au tas de toiles carbonisées qu'il remue de la pointe de son soulier. Le feu s'étant étouffé entre les différentes toiles, la peinture avait coulé, produisant des boursouflures noirâtres. Les châssis avaient peu brûlé ainsi que la trame du support. Le tout faisait une masse informe, pareille à un grand cadavre à l'abandon parmi les herbes.

Entre cette pseudo-toile de jeunesse et ces restes calcinés! Par quel moyen garder l'initiative? se disait Cham.

Il a refusé de vendre à Karlsen la toile récente et Karlsen n'a pas insisté. Il lui suffisait, pour ce jour-là, d'être entré en possession des toiles incinérées qu'il a fait immédiatement emporter par Marti. Marti les a chargées sur la jeep. Voilà Cham pris d'une bizarre jubilation en voyant s'éloigner ces cadavres de tableaux. Mais du calme!

En même temps il se sentait un peu triste de s'être laissé prendre au jeu du marchand. De quelque côté que tu te tournes te voilà agi par Karlsen. Il vient de tendre ses pièges aux deux bouts de ta vie. Tu as donné dans les deux à la fois.

Le soir même Alex et Cham dînaient au domaine. Ils se trouvaient bien dix ou douze autour de la grande table, en vis-à-vis, avec, entre les convives, les lueurs vacillantes des bougies qui les empêchaient de se voir en parlant. Anna près de Cham. En face Karlsen et Alex. Plus loin dans l'ombre, de sorte que Cham et lui se parlaient en diagonale, un homme maigre aux lunettes d'or qui à un moment lui avait dit: « Je suis poète *et* criminologiste. » Comme ne pas sourire de ce *et*? Cham n'avait pas souri. L'homme s'était tourné vers Karlsen:

« N'est-il pas vrai, Karl?

— Parfaitement vrai. Fielding était bien juge, non?

— Sauf que Fielding n'était pas poète...

— Et que toi tu l'es, avait ajouté Karlsen en riant. Poète-criminologiste et de plus, collectionneur de tableaux...

— Savez-vous, dit le poète-criminologiste, que j'ai vivement apprécié vos deux expositions chez notre ami Karlsen?

— Quelles deux expositions? dit Cham, agacé.

— Mais celles de vos toiles de jeunesse, en quelque sorte mises en abîme par la seconde, celle de vos incinérations titrées: *Alchimie de la destruction*.

— Merveilleux titre, non? dit Karlsen. Il est de notre ami le Dr V.

— Mais vous n'avez pas complètement cessé de peindre? dit quelqu'un.

— Il le prétend, dit Karlsen.

— En cessant de peindre, il aurait accompli un crime impardonnable contre lui-même, dit le poète-criminologiste. Voilà pourquoi j'ai apprécié vos incinérations. Tout art neuf, tout grand art s'édifie sur la destruction. La culture, elle, est conservation? Toute vraie création est reçue comme de la barbarie. Ce qui me plaît surtout, c'est la cruauté de vos destructions — cette barbarie — et, bien sûr, leur entrée dans le cycle magique de l'argent opérée par Karl... lente transmutation qui de barbarie retourne vos destructions en culture...

— Il vend ma mort de mon vivant, dit Cham, je suis un peintre mort et ça c'est très, disons, agréable.

— Pas si mort que ça, ah! ah! dit Karlsen. J'ai comme l'intuition que notre peintre mort s'amuse en cachette à sortir de temps en temps de son tombeau, non.

— Ah, ah! fait le poète-criminologiste, aurions-nous eu la tentation de devenir notre propre faussaire? Très intéressant problème juridique... »

Cham rit: « Pourquoi pas? Pourquoi résister à l'ivresse de

se placer aux deux extrémités de sa vie ? Ressaisir sa jeunesse et à la fois saisir sa mort. Oui, j'ai peint deux "fausses" toiles de jeunesse que j'ai détruites toutes les deux. La première fait partie des incinérations, et c'est même à cause d'elle que j'ai brûlé la première fournée de mes tableaux. Quant à la seconde, celle que Karlsen a pu voir dans l'atelier, je l'ai détruite dès qu'il est parti.

— Qu'est-ce qu'il raconte ? s'exclame Karlsen. Alex, ce n'est pas vrai ?

— Si, si, c'est tout à fait vrai, dit Alex en riant.

— Et tu ne l'en as pas empêché ?

— ... »

Celle-là, il ne l'avait pas détruite. Après que Karlsen l'eut examinée dans l'atelier, Cham avait plus que jamais décidé de la conserver — secrètement — non comme une toile de jeunesse mais pour ce qu'elle était : un accident provoqué par le choc en retour des manœuvres de son trop diabolique ami.

« Elle restera sans signature et sans date, avait-il dit à Alex, je veux la garder présente, comme un rappel concret, un avertissement, une mise en garde envers moi-même. Plus question de "fausses" toiles de jeunesse. Fini la tentation de peindre. Cette fois, je me suis guéri du temps par cette jeune toile de vieillesse. »

Précaire état d'exaltation dont Cham ne tarda pas à se réveiller pour s'enfoncer de nouveau en mélancolie. Quoi que tu fasses, se disait-il, tu n'échapperas pas. Ce à quoi tu as cru échapper en te décentrant ici vous a rattrapés et vous envahit : c'est K., c'est le Dr V., c'est Marti agi par eux, ce sont Anna et leurs invités « passionnés de peinture » qui montent à l'improviste et viennent encombrer ton atelier. Imprudence de l'avoir entrouvert. Ils veulent tous que tu leur montres tes toiles dans leur ordre chronologique, ils brûlent d'assister à une incinération. Tu entends leurs rires dans l'atelier enfumé par leurs cigarettes.

« Si un jour vous vous décidez à incinérer celle-là, dit le poète-criminologiste, je vous l'achète. »

Il tient une toile (1961) et la montre à quelques invités. Quelle langue parle-t-elle, se demande Cham, en essayant de distinguer, un peu en arrière, entre les tableaux dressés verticaux, cette femme au visage amaigri qui, à Venise, s'était assise au bord de son lit et avait passé ses doigts à travers son visage ? La même qu'il avait revue un peu plus tard enfoncée dans l'eau montante, et encore, dernièrement, dissimulée en ce même endroit parmi ses toiles condamnées. Polonais ? Yiddish ? Ah quelques mots russes aussitôt perdus !

« Cham, vous m'entendez ? insiste le poète-criminologiste. Faites-moi ce plaisir, brûlez-la devant nous. »

Autour, les invités de Karlsen parlent. Leur conversation glisse en tous sens. Ces gens que Cham ne connaît pas parasitent son malaise ; ils se sont installés dans sa crise et s'y vautrent. Vu du dehors, Cham est extrêmement calme, très calme. Mais en lui les battements de son cœur se précipitent. Pilules. Trois v. Etat de reflux. Vision claire tout à coup : la femme en noir s'est fondue dans les vieilles toiles de Cham. De nouveau ne demeurent dans l'atelier que les « passionnés de peinture » qui acquiescent aux toiles que Cham leur montre, aidé par K., le marchand de tableaux, l'ami K. Ces vieilles toiles, Cham ne tient pas à les montrer. Non, il n'y tient pas... mais, vu du dehors, l'ex-peintre malade les pose et les enlève du chevalet, d'un air affable et même enjoué. Chacun dit son avis à propos des possibilités d'incinération de telle toile et de telle autre. Il fait nuit dans l'atelier.

Karlsen vient d'allumer un cigare, le poète-criminologiste aussi. Les femmes fument des cigarettes. Le criminologiste essaie de se faire entendre dans le vacarme. C'est vers Cham qu'il crie :

« Savez-vous quels furent les derniers mots de Goethe?
— Tout le monde sait ça: *Lumière.*
— Non: *Plus de lumière.*
— *Plus?* ou plus? dit quelqu'un. *Mehr?* ou *Kein?*
— Plusss... »
Après leur départ, Cham monta dans la chambre et cloua la toile récente sur le mur, en face du lit. « Cet objet ni beau ni laid ni rien, dit-il à Alex, restera là, cloué sur ce mur: visible et palpable objet en quoi s'est incarné mon égarement. Mais non, non! plus jamais ça! »

IX

Puis il y a eu ce pique-nique, avec les invités de Karlsen, sur les lieux de la cascade. Bien qu'elle fût sèche, quelqu'un avait eu l'idée de ce pique-nique sur les lieux de la cascade fantôme. Ils s'étaient tous retrouvés assis autour de la nappe et Marti les avait servis. Loin, au-dessus de la faille, on pouvait entendre le bruit du vent. Et ils avaient tous eu l'impression de s'être enfoncés sous terre dans cette crypte verte. En acceptant, il ne savait pourquoi, de participer à ce pique-nique, Cham s'était rendu compte qu'il sanctionnait en quelque sorte l'envahissement par Karlsen et ses amis de ces lieux restés jusque-là secrets pour lui et Alex. Ils aimaient cette cascade furieuse en hiver et ce lieu enfoncé d'une telle désolation en été.

Comment avaient-ils pu assister sans réagir à ce qui s'était passé près du trou d'eau ? Comment Alex et lui avaient-ils pu rester passifs devant cette violence faite à Marti ? Dans une confusion de cris et de rires, Karlsen et ses invités avaient jeté Marti dans le trou d'eau stagnante.

Un peu avant, ils avançaient tous par le sentier qui suit le lit sec du ruisseau. Par endroit, dans le dédale de roches creusées par les crues de l'hiver, subsistait une flaque aussi lisse et noire qu'un miroir. Au passage la colonne des invités se reflétait avec une telle netteté qu'à un moment, Karlsen avait pris Cham par les épaules, les désignant tous les deux, dessous, étirés à l'envers par la perspective :

« Tu as vu ? Les deux quoi ? Amis ? »

Son ton était à la fois ironique et chaleureux.

Anna et Alex les avaient rattrapés.

« Elle est encore loin cette cascade fantôme ? avait demandé Anna.

— Qu'en savons-nous ? dit Karlsen, soudain énervé. Demande-le à ce fou de Marti. C'est son idée, non ? ce lugubre pique-nique. »

La file des invités les avait rejoints peu à peu. Marti fermait la marche. Il portait sur l'épaule un lourd sac de provisions.

« Il n'y a pas de cascade en ce moment, avait-il dit. Je vous avais prévenus. Vous ne verrez aujourd'hui que l'endroit du saut, là où les rochers sont lisses et usés par l'eau à la saison des pluies.

— N'est-ce pas cette splendide idée d'une cascade sans eau qui nous a fait entreprendre cette remontée vers la source ? dit le poète-criminologiste. Parcourir la mémoire d'un torrent pour le plaisir de pique-niquer près d'une chute d'eau qui nous aurait en quelque sorte fait faux bond. »

De nouveau la colonne s'était remise en marche. Les invités allaient maintenant en file irrégulière. Marti marchait devant, pliant sous le sac plein de provisions. Karlsen était revenu près de Cham. Anna et Alex les précédaient. Brusquement Anna s'était retournée :

« Je veux faire demi-tour. Je veux repartir. Je veux rentrer à New York.

— Allons, allons ! Anna, pas d'histoires ! » Karlsen l'a prise par le bras et la secoue en la poussant en avant.

« Je ne veux pas ! Je ne veux pas voir le trou ! Marti m'a raconté...

— Quoi? Que t'a raconté ce fou de Marti?

— Il y a quelques années, dans ce trou...

— Alors, Marti, quoi? Qu'as-tu raconté à Anna?

— On raconte... il paraît qu'un type aurait noyé une petite fille dans ce trou.

— Vous avez entendu parler de ça? dit Karlsen. Alex, Cham?

— Oui, dit Alex. C'est une terrible histoire... il était très jeune... il s'est enfoncé dans l'eau avec la petite fille et ils se sont noyés tous les deux. »

Peu à peu le lit du ruisseau s'était rétréci. Ils devaient maintenant se traîner tous dans le creux sableux. Par endroit des flaques peu profondes les obligeaient à entrer dans l'eau. Chaque fois Anna demandait d'une voix effrayée si c'était là que la petite fille avait été noyée. « Non c'est plus loin », disait Cham. Ils avançaient avec de plus en plus de difficultés entre les parois. Des lianes pendaient enduites de boue sèche. Des arbres brisés par la violence des crues penchaient très bas. Il fallait avancer plié. Un peu partout d'étranges fleurs pelucheuses avaient poussé autour des flaques. Quelqu'un fit remarquer qu'elles n'avaient pas de pétales, qu'elles n'étaient que calice et pistil.

« En somme, dit une invitée, elles se sont déshabillées. Et si ça continue nous serons obligées de faire comme elles. »

Brusquement la faille s'évasait, arrêtée net. Un trou rempli d'une eau morte en occupait le fond. Une falaise envahie de fougères se dressait jusqu'au ciel qu'on apercevait très loin, au-dessus, par une échancrure des diverses végétations. Le spectre de la cascade était là, devant eux, haut et droit. Les plis de roche usée avaient gardé, comme pétrifiés, les mouvements de toutes les eaux disparues. Dans le trou d'eau la coulée spectrale se reflétait bien nette, inversée. Quelqu'un jeta une pierre dans la surface noire, brisant d'un coup tous les reflets. Elle mit longtemps à disparaître en oscillant.

« Curieuse noirceur de cette eau », dit le poète-criminologiste.

Et tous s'étaient mis à jeter des pierres dans le trou noir.

Enfin, la nappe fut dépliée sur une roche. On mangea en silence. Soudain Karlsen avait bondi sur Marti et l'avait ceinturé :

« C'est toi qui as eu l'idée de cette connerie de pique-nique ! Alors, à l'eau ! Vous autres, venez m'aider. Déshabillons-le et jetons-le là-dedans ! »

Rires des invités, ils se pressent autour de Marti qui se débat en silence.

« Attendez, tenez-le ! Voilà son pantalon !

— Bravo ! Et maintenant, le reste !

— Oh, comme il a la peau blanche ! »

Son torse est velu, sa peau extrêmement pâle. Seuls son cou et ses bras sont bronzés à la limite exacte du T-shirt.

« Attention, attention ! Tenez-le bien ! »

Marti ne se débattait plus maintenant. Il était nu.

Les invités de K. l'avaient balancé un moment puis jeté dans le trou d'eau.

Ils s'étaient tous emparés de lui, ils l'avaient dépouillé de ses habits, ils l'avaient jeté dans le trou noir. Et Cham avait laissé faire. Ni lui ni Alex ne s'étaient interposés.

Marti avait traversé à la nage la surface obscure. Il s'était hissé sur la berge et s'était enfui, pareil à un faune, à travers les feuillages et les lianes.

X

Peu de temps après, Alex et Cham repartaient pour l'Italie.

Dans la boîte aux lettres du petit appartement derrière le quai, ils trouvent un message du Dr V. Il ne reste que quelques jours dans la ville et il ne veut pas les manquer. Cham, lui, ne tient pas à le voir. Il le lui dit au téléphone. « Ce sera comme vous voudrez, répond le Dr V. Que vous veniez ou ne veniez pas, je serai de toute manière aujourd'hui à une heure au restaurant du quai. Je pense qu'il serait de votre intérêt que vous veniez. Dites à Alex qu'elle vous traîne de force, au besoin. » Il raccroche en riant.

« Je savais que vous viendriez, dit-il un peu plus tard. Vous avez bien fait. Quelqu'un qui désire vous rencontrer va nous rejoindre. D'ailleurs je crois que vous l'avez déjà croisé au hasard de la ville. Le voilà! »

Immédiatement, dans l'homme qui s'approche, Cham reconnaît celui qui l'avait abordé chez Cook au printemps dernier. Pendant le repas, à toutes sortes d'allusions, Cham comprend qu'il a lu la plupart de ses livres et qu'il possède des tableaux de presque toutes les époques de sa vie de peintre.

« Notre ami J.F. apprécie beaucoup vos incinérations, dit le Dr V. Combien en avez-vous achetées à Karlsen?

— Peu importe. Quelques-unes parmi les plus belles. »

Ses yeux sont gris pâle. Son teint est d'un mat assez foncé. Il mange peu et trie les aliments qu'il range par catégories sur le bord de son assiette.

« Savez-vous que je possède un certain nombre de tableaux de votre jeunesse.

— De quelle année? dit Cham.

— J'en ai de 1947, 48 49, 50... 60... 70... Je crois qu'il ne s'est pas passé une seule année de votre vie que je *ne vous possède*, soit à travers la peinture, soit à travers vos écrits. Et voilà qu'arrive l'époque des incinérations. J'apprécie... J'apprécie énormément!

— Ne parlons pas de ça, dit Cham. Je me sens trop bien, ici, sur ce quai pour parler de ça. Rien ne m'est plus désagréable que de savoir des tableaux de moi ailleurs que dans mon atelier fermé. De me savoir cloué à vos murs sous toutes les formes que mon malaise a été contraint d'inventer m'est difficilement supportable!

— Mais chez moi vous n'êtes pas cloué aux murs. Vous êtes soigneusement rangé dans des placards et nul ne vous voit jamais. Ces choses produites par votre mal à vivre — comme vous dites — sont hors lumière, momifiées en quelque sorte. Et je peux vous promettre que sous aucun prétexte elles ne reverront le jour. Leur possession me suffit. De vous posséder me suffit. J'ai des tableaux de tous vos temps et maintenant, après un trou de bientôt vingt années, voilà vos incinérations! Par vos livres je suis en mesure de comprendre le sens de ces destructions-résurrections. Cela faisait des années que de loin je vous surveillais. Nous parlions de vous avec Karlsen. J'attendais quelque chose. Quoi? Comment aurions-nous pu imaginer? Mais j'avais confiance. Il n'en restera pas là avec la peinture, disais-je toujours à notre ami. Et voilà.

— Vous voyez, dit le Dr V., vous n'êtes pas seul. Vous avez des amis, et même on pourrait dire des complices.

— Savez-vous, poursuit J.F. le collectionneur, comment j'ai nommé vos tableaux incinérés? Hellades? Vous avez compris? Vous riez? Cette idée vous amuse? Vos tableaux incinérés représentent pour moi la masse exacte d'informations transmissible d'un individu à l'autre, d'un là-bas à un autre là-bas, d'une planète à l'autre, d'un système à l'autre. Emerveillé, le collectionneur rêve de ce qu'il y a là-bas. Il veut là-bas! Eh bien, certains peintres que je possède — dont vous — sont mon là-bas. »

Cham déplace un peu sa chaise. Le soleil est dans ses yeux. Tu es malade, se dit-il, ce que tu entends n'est pas ce qui est dit et que tu crois entendre. Le Dr V. le regarde de ses doux yeux de myope.

« Vous voyez, vous voyez on vous suit, on attend de vous, on refuse le peintre mort que vous prétendez être.

— J'ai interrogé vos tableaux de jeunesse, poursuit le collectionneur J.F. J'ai pensé: il n'en restera sûrement pas là. Et voilà qu'en lisant votre avant-dernier livre où il est question de musique, j'ai compris que ce peintre qui devient fou en voyant une chauve-souris voler dans l'eau c'était vous. Et je me suis dit: le moment est venu. Voilà pourquoi j'ai envoyé Karlsen auprès de vous. Voilà pourquoi le Dr V. s'est mêlé à notre petit complot. Disons que Karlsen était censé provoquer l'électrochoc pendant que le Dr V. se tenait à votre chevet. Le jour où le Dr V. m'a téléphoné pour m'annoncer la nouvelle — les incinérations — j'ai été saisi d'allégresse. Il l'a donc fait! L'écrit s'est donc réalisé! Maintenant vous êtes de nouveau dans le circuit. Nous sommes en attente du reste. »

Plus de refuge, plus rien à quoi t'appuyer, se disait Cham,

pendant que J.F. le collectionneur, et le Dr V. interrogent Alex, cherchent à faire pression sur elle pour encourager Cham à poursuivre ses incinérations. Et le voilà, soudain pris de nostalgie pour la masse de ses tableaux restés dans la nuit volontaire où depuis plus de vingt ans il les a plongés. Au fond de lui voilà qu'il frémit à la pensée de ce deuil volontaire, voilà qu'il « pleure » ces tableaux non pour leur représentation mais pour le contenu de temps qui fait qu'ils ne peuvent mourir. Alors que peindre pour toi était souffrance, pense Cham, face au soleil sur ce quai où crient et tournent les mouettes, plus tu souffrais, plus était forte cette étrange allégresse qui te saisissait quand te retournant, quand te détournant de la matière peinte tu retombais en votre vie, reconnaissant dans l'ombre de l'atelier celle vers laquelle tu peignais. Si bien qu'encore aujourd'hui bien qu'apparemment libéré de l'acte de peindre, lorsque dans le chaos de ton atelier depuis si longtemps fermé tu touches tes tableaux de jeunesse, c'est vous, toi et Alex, un vous secret, impossible à encercler par les mots, que ta main exhume. A tel point que saisi par l'effroi de votre mort tu aimerais à la fois détruire et serrer contre toi ces choses peintes — non pour ce qu'elles sont mais pour votre temps de vie dont elles ont été les témoins.

Le soleil a glissé à mi-hauteur du ciel. Ses rayons sont presque horizontaux. L'hiver dernier, quand le marchand de tableaux K. avait emporté un certain nombre de tes toiles de jeunesse en échange d'une importante somme d'argent, n'avais-tu pas reconnu cet étrange mélange de plaisir et de manque dont, après chaque vente, tu avais subi le trouble à l'époque où tu n'étais que peintre? Plaisir d'escroc! Oui, d'avoir obtenu, contre de la pensée transmuée en solide, des poignées de billets de banque... et en même temps, sensation de manque — non de la chose emportée contre ces billets de banque mais de cette part mystérieuse de toi dérobée par le marchand contre ces billets, qu'il te semblait entendre craquer tout seuls la nuit au fond du tiroir où tu les avais jetés. Par cette passation, de la pensée issue d'un temps vécu venait de se transmuer en résidus d'or.

Les voilà tous maintenant dans l'appartement du Dr V. Sur les murs sont épinglées de grandes épures. Le Dr V. parle de sa « démarche » d'ex-soigneur devenu peintre. Il explique à J.F. le collectionneur, comment ses « expériences » sont en train de le pousser, de le « tasser », dit-il, « au fond du couloir étranglé de la logique ».

« J'ai décidé de *me vendre* une fois pour toutes, je veux passer un contrat avec un musée, je veux me vendre physiquement à un musée.

— Belle idée, dit J.F. le collectionneur, mais irréalisable.

— Pas du tout, dit le Dr V., j'ai dessiné les plans d'une machine où je me mettrai en pose aux heures d'ouverture. Voilà le dispositif de l'œuvre: six marches en acier polies comme des miroirs. Ici, elles aboutissent au socle que je veux lisse et transparent pour que le sujet, moi — le sujet se confondant avec l'artiste, ou si vous préférez, l'artiste, devenu son propre sujet pour former l'œuvre, mis en pose par ces sangles que vous voyez là et ces barres —, le sujet puisse se refléter non dans le socle lui-même mais à travers le socle dans le prolongement de la dernière marche — que vous voyez là — qui sert de support réfléchissant. Ce qui donnera l'illusion aux foules qui tourneront autour de l'œuvre que l'ensemble: socle, barres, sangles et sujet sont soulevés à quelques centimètres au-dessus du plan formé par cette dernière marche et son prolongement horizontal...

— Très confus, tout cela, docteur.

— Attendez, J.F., attendez! L'ensemble sera ovale: les six marches, le socle et l'entablement sur lequel reposera le socle. Les barres seront en acier et les sangles de cuir, plates et souples, doublées sur leur face intérieure de feutre, afin que le sujet, l'artiste — moi — ne les sente pas au cours des heures d'immobilité de son personal-art. Les barres et les sangles permettront à l'artiste de tenir la pose. Pose assez grotesque et apparemment incommode, vue de la foule, mais que l'artiste supportera aisément grâce à ces points d'appui judicieusement calculés. Ainsi, je pense, qu'arrivé au terme de sa journée, l'artiste/sujet/moi se trouvera en assez bonne forme... guère plus fatigué qu'au bout d'une journée de "travail" dans l'atelier. Ainsi tout en étant devenu art, pourrai-je méditer sur l'Art...

— Vous êtes merveilleusement fou, docteur, dit J.F. le collectionneur. Je n'aurais pas la cruauté de vous acheter.

— Ah, non! dit en riant le Dr V., je ne me vendrai qu'à un musée. Je ne veux pas finir dans un de vos placards.

— Mais que ferez-vous, demande Cham, lorsque vous vous serez vendu, vous n'allez pas vraiment vous astreindre à vous exposer vraiment vous-même pendant des années dans cet instrument de torture?

— Mais je vous assure que si. Enfin le grand repos! Je serai devenu Art-vivant! Quel art vivant n'est-il pas le fruit de la non-liberté?

— Vous pensez sérieusement que là où il y a liberté, point d'art?

— L'esprit n'atteint à la pleine liberté que dans la contrainte, je crois le croire.

— Absurde.

— Absurde, il est vrai. Mais l'art n'est-il pas de l'absurde mis en forme?

— Comme tous les grands mystiques vous n'êtes qu'un grand orgueilleux, dit J.F. le collectionneur. Voilà où son orgueil l'a mené, c'est cela qu'on pensera de vous. D'autres penseront: vanité.

— Détrompez-vous, dit le Dr V. Si l'artiste en est arrivé à cette extrémité — s'exposer soi-même — ce n'est ni par orgueil ni par vanité mais par besoin d'absolu. Ça ne se marchande plus, ça s'est donné, c'est devenu Art. Ça ne se revend pas: c'est! Que croyez-vous? Si j'ai jeté dans la nature mes six cents fous c'était pour me permettre la liberté de ma propre folie. Depuis ce jour où j'ai ouvert les grilles de l'institution dont j'étais l'Unique, la Puissance agissante, je savais que mon besoin d'absolu me mènerait à ce piège dont je suis impatient de me rendre le martyr consentant. Les gens diront: comment en est-il arrivé à ça? comment accepte-t-il de s'infliger cette sorte de crucifixion? Ce sont des questions, je le sais, que j'entendrai quotidiennement pendant mes heures de personal-art. J'en jouirai car cette situation d'écartèlement par ma machine aura en effet la *beauté* d'une crucifixion pour l'Art.

— Quel bouffon merveilleux! » s'exclame J.F. le collectionneur.

XI

« Que donne-t-on ce soir au théâtre? *La Bohème* de Puccini. Ironie à laquelle nous ne pouvons résister », dit J.F. le collectionneur, qui les entraîne tous en riant. A trois rangs de la fosse, les voilà donc assis: Alex et Cham, le Dr V. à leur gauche, plus loin J.F. le collectionneur. Autour et derrière, dans la pénombre luxueuse, des têtes humaines alignées dans les niches superposées jusqu'au ciel peint. Le Dr V. se penche vers Alex et dit: « Merveille que cette salle creuse où la musique remplit l'architecture comme si chaque son frappait des veines d'or ! » Ce qui fait sourire Alex. Le regard de Cham ne peut soutenir l'aspect des acteurs: « Odieuse *Bohème* », dit-il pour lui-même, et ses yeux fuient à droite et à gauche, se heurtent de tout côté au public, et par lassitude se ferment sur des douleurs colorées que la musique agit. *Sono pittore. Sono poeta*, chantent les « artistes ». Cham se détourne vers les loges... et soudain il lui semble reconnaître son ami de jeunesse, Adrien, le peintre. Il est là, dans une de ces boîtes, comme un insecte sec posé sur de la ouate. Il t'a repéré, se dit Cham. Il te fait des signes. Ne réponds pas! Qu'auriez-vous à vous dire? Lui a rempli son contrat de peintre avec lui-même, toi tu as trahi ton contrat de peintre avec toi-même. Et il s'empêche de lever les yeux vers la loge, où il sait celui qu'il lui faudra fuir tout à l'heure, cependant qu'il tente de saisir le visage de jeunesse de son ami Adrien alors que leurs toiles de l'époque (1946-1950) étaient imprégnées d'un même frémissement de jeune impatience. Il n'est pas sûr, si on s'amusait à comparer aujourd'hui ces sortes d'antiquités, qu'il serait aisé de dissocier ces premiers maillons de la déjà longue chaîne de nos vies divergentes, pense ironiquement Cham. Et se tournant vers la loge, il fait un petit signe vers cette tache blanche qu'il sait être la tête blanchie du peintre Adrien. Il voit la main de son compagnon de jeunesse se lever et rester un moment levée pendant que la musique continue à battre l'air de ses vagues acidulées. *Sono pittore. Sono poeta*, chantent-ils, là-bas dans un décor de mansardes et de linges suspendus entre des murs grêlés. Tu t'es éloigné, se dit encore Cham, tu as divergé, au contraire de « tuer les mots par la peinture », tu as tenté de tordre le cou à la peinture par les mots. Il t'était pourtant si naturel de peindre ! Pourquoi ce refus de la représentation ? Par tes mots tu as donné forme à un espace impalpable dans lequel cependant chacun peut entrer. Au lieu d'être cloué aux murs à travers tes tableaux, tu as construit une machine de mots tout aussi folle que la machine à s'exposer du Dr V. Par tes livres, inincinérables, eux ! tu vous as mis en perpétuelle exposition, ton amour et toi, fou que tu es ! Et se tournant de nouveau vers la tache pâle que fait dans sa loge son ami de jeunesse, il répond encore, à un signe d'Adrien, par un léger signe de la main.

Tout naturellement ils se retrouvent dans le hall, pendant l'entracte.

« J'ai vu tes incinérations à New York, chez Karl, lui dit Adrien. Je croyais que tu nous avais définitivement abandonnés. Quelle bonne surprise de découvrir que le peintre était encore bien vivant en toi.

— Ah, vous voyez, vous voyez, Cham, s'exclame le

Dr V., même votre ami de jeunesse apprécie! Quoi que vous fassiez pour vous mettre en rébellion, vous resterez toujours peintre. Vous n'y échapperez pas. J.F., Karlsen et moi, nous vous empêcherons d'y échapper.

— Tu seras toujours des nôtres, dit Adrien. La preuve: tes incinérations. La preuve: te voilà ce soir avec J.F. le collectionneur. Te trouver en amitié avec J.F. le collectionneur, c'est signifier que tu es revenu dans notre jeu, que tu n'as pu résister à t'associer au pari qu'il a fait sur toi, sur tes incinérations, et je t'approuve. Belle idée, mon vieux, que ces toiles incendiées! Te voilà plus que jamais peintre. Un auteur qui brûlerait un de ses livres, qu'ajouterait-il à ses œuvres? Tout au plus un petit tas de cendres, c'est tout. Un peintre brûle ses toiles et c'est encore de la Beauté. Par tes incinérations, tu viens de prouver que, quoi que tu fasses, tu resteras toujours peintre. »

Troisième acte.
La main d'Alex est dans les mains de Cham. A tout moment il regarde sa femme et il se dit: Tu aimes par l'œil, tu es un fou du regard, c'est dans ton œil qu'est concentré ton sens le plus aigu, c'est ton œil qui commande à l'ensemble de tes nerfs, et même lorsque tu fermes les yeux, tu continues de voir. Le toucher, pour toi, est soumis au regard. Il te sert à vérifier. Ce n'est qu'en te voyant toucher que tu es sûr de toucher. Toucher les yeux fermés, se dit encore Cham en serrant le genou d'Alex, te plonge dans l'effroi. Tu trouvais juste qu'un peintre soit soumis à cette tyrannie de l'œil, à ce jeu incessant entre l'œil et la main qu'est l'acte de peindre. Peindre c'est palper, c'est restituer par la main ce que touche l'œil. Adrien a sans doute raison. Tu n'étais fait que pour peindre. Pourquoi cet acharnement à désirer saisir la vie par les mots? Vois ton ami de jeunesse

Adrien, ne serait-ce pas plus simple d'être lui? Tu serais lui aujourd'hui si tu avais continué. Si tu ne t'étais pas rebellé. Adrien a toujours peint, il est peinture, fidèle à lui-même comme ses tableaux sont fidèles à eux-mêmes. Vois le contentement, le poids de rassurement de celui qui sait la solidité d'une longue œuvre derrière lui. L'homme-peinture rassuré par la longue lignée de ses œuvres: généalogie parfaite pareille à un vaste édifice dont les étages ne cessent de s'ajouter aux précédents... Tandis que toi, l'ami de jeunesse, tu es resté l'homme sans terre, et les tableaux peints dans ta jeunesse, par l'homme sans terre, ne sont aujourd'hui qu'un champ de ruines calcinées.

Un peu plus tard, assis dans un café non loin du théâtre, voilà Cham près de son ami d'adolescence. Ils parlent avec une gaieté un peu forcée de leurs jeunes années:

« Savez-vous qu'à l'époque il brûlait déjà ses tableaux ratés? Une fois même il avait manqué brûler vif. J'ai juste eu le temps de l'envelopper dans une couverture. Tu te souviens? »

Difficile pour Cham de supporter ces paroles. La jubilation avec laquelle son ami d'adolescence évoque ces moments d'un temps perdu le met en impatience. Je hais ces: Tu te souviens? Ils me frappent physiquement dans les os de la face. Mais apparemment il est calme, parfaitement calme.

Il dit: « Parlons d'autre chose.

— Comportement classique d'évitement, dit le Dr V. On se veut autre que ce qu'on a été. Refus du témoin. Refus de l'évocation. Classique, tout à fait classique.

— Peindre c'était n'être que trop moi... ou plutôt c'était trop évident que ces mains-là n'étaient que trop à l'aise dans la salissure et le triturement... Il y a quelque chose d'oblique dans l'écriture qui m'a toujours attiré.

— Voilà de quoi nous devons vous guérir, dit le Dr V. Vous remettre en santé.

— Mais je ne veux pas guérir, je ne veux pas me remettre en santé par la peinture. Je veux rester hors de vos catégories. Hors de vos classifications. Hors production...

— Doucement, dit le collectionneur, vous vous devez de continuer. Sachant ce que deviennent vos destructions par le feu, ce qu'elles proclament, ce qu'elles nient et ce qu'elles affirment, vous ne pouvez vous dérober. Nous nous sommes tous engagés dans votre démarche, le Dr V., moi, votre ami Karlsen. Nous avons investi et nous nous sommes investis. Allons, ne nous dites pas que vous ne continuerez pas à détruire par le feu d'autres de vos tableaux. C'est comme s'ils étaient déjà vendus. A vous d'accepter.

— Oui, à vous de vous accepter, dit le Dr V., vous devez accepter. Alex, vous devez le convaincre, le soutenir, c'est le prix de sa guérison.

— J'aimerais bien pouvoir le détourner d'en détruire de nouveaux, dit Alex, mais peut-on empêcher quelqu'un de se délivrer — même à ce prix? Là est la question. Personne ne peut en juger, ni moi, ni vous, ni même Cham...

— Mais ne les transcende-t-il pas en les incinérant? dit Adrien. N'est-ce pas comme l'ultime étape de leur création? Avant lui personne n'avait osé cela. Mener à son ultime limite le *repentir* du peintre. »

Alex secoue la tête avec impatience.

« C'est une trop grande souffrance que de voir brûler des tableaux.

— Pour toi peut-être, dit Adrien, mais dès le moment où cela devient un plus et non un moins dans le parcours de l'œuvre. Si cela devient un parachèvement? L'étape ultime.

— Mais elles existaient depuis des années. Bien que non vues elles existaient, achevées, bien que dans le noir de l'atelier fermé, elles existaient. En y mettant le feu, Cham a voulu les détruire et non les parachever.

— Disons plutôt qu'il a dirigé le hasard. Ce n'est pas que

par hasard s'il a mis le feu à ces toiles demeurées jusque-là dans le noir. Cham a toujours été un peintre du *repentir*, je veux dire qu'il dégageait la présence du tableau de la masse des repeints, il ne *projetait* pas le tableau, moi-même je suis un peintre du *repentir*; nous ne sommes pas de ceux qui travailleraient d'après une épure. Bref, peu importe comment! Ces incinérations sont peut-être ce qu'il a réussi de mieux. Ce que tu ressentais comme destruction a été sanctionné par l'œil des autres. A l'unanimité ces incinérations exposées chez Karlsen ont été admirées, ajoutées à des collections, désirées, aimées. J.F., Karlsen, le docteur, tous nous attendons la suite. Je te le demande, Alex, que vas-tu faire, toi?

— Mais rien. Que veux-tu que je fasse? Je ne peux qu'assister...

— Et dis-moi, Cham, tu n'as jamais été tenté d'en produire de faux de nos années cinquante?

— Des faux, n-non. Après tant d'années de non-peinture, j'ai cédé deux fois à la tentation de me retrouver en jeunesse par l'acte de jeunesse que représente pour moi la peinture. J'ai commencé par tendre des toiles sur de vieux châssis. Et rien que l'odeur de la toile... les pointes de tapissier... la pince à tendre et le bruit du marteau, ce bruit régulier dans l'atelier délaissé, oui, ce mélange d'odeurs et de frappements m'a mis en étrange euphorie. De constater que rien n'était rebelle à mes mains après tant d'années! Tout allait de soi: la toile se tendait comme d'elle-même, j'éprouvais son élasticité, elle était invitation à peindre, à retrouver ma jeunesse par la main et par l'œil, c'était une divine annulation du temps. J'étais le même; tant d'années d'écriture n'avaient rien entamé en moi. C'était l'été, les fenêtres de mon atelier étaient grandes ouvertes, des abeilles entraient en bruissant dans les rayons du soleil, je m'étais mis torse nu dans la chaleur pendant que j'étendais l'enduit...

— Sais-tu, dit Adrien, que depuis toutes ces années pendant lesquelles tu as été — comme tu dis — un peintre mort, on a mis au point de nouveaux enduits à base de vinyle?

— Non, non, dit Cham en riant, il n'était pas question d'utiliser des produits nouveaux. Je tenais à être quand même un peu mon propre faussaire... Reprendre, en quelque sorte, là où mon dernier geste fut interrompu...

— Et comment as-tu préparé cette toile? Quel moyen as-tu employé? »

Cette question d'Adrien, cette question si intimement technique produit sur Cham un effet inattendu: Ah j'aime, se dit-il presque ému, j'aime cette question technique, cette question de cuisine! Rien à voir avec l'interrogation usée: Ecrivez-vous au crayon, au stylo, à la machine, combien de jets? etc.

« Colle de peau, dit Cham, et blanc de zinc. Comme nous le faisions, te souviens-tu? »

Alex les regarde en souriant.

« Oui, poursuit Cham, un bref moment j'y ai vraiment cru. La toile vivait sous le pinceau... et puis, brusquement, elle s'est fanée, et ce ne fut plus que de la toile, rien que de la toile, quelque chose de flasque, de tué. Vingt ans d'écriture avaient détruit la complicité de l'œil et de la main. C'était comme si une part très précise, tout un continent de mon cerveau s'était abîmé en tant d'années d'écriture exclusive. Je jetai la toile qui n'avait pu me remettre en jeunesse, je la jetai dans l'herbe, je courus chercher de l'essence... Et pendant que j'y étais, je traînai dehors un premier lot de toiles anciennes que je brûlai en même temps. Voilà comment les choses ont commencé...

— Mais vous avez parlé d'une seconde toile, dit le Dr V. Le faussaire a donc fait une seconde tentative?

— En effet, quelque temps après, je n'ai pu résister.

L'idée que je n'avais pas pu, que j'avais échoué me tourmentait. Comme j'avais préparé plusieurs supports...

— Et alors? Et alors? dit le Dr V.

— Et alors, il a peint un tableau qui ne ressemble à aucun de ses autres tableaux, dit Alex.

— Il a vraiment peint? Il n'a pas détruit? Vous l'avez gardé, dit J.F. le collectionneur, peut-on le voir, où est-il?

— Accroché dans notre chambre, dit Alex. C'est un tableau différent de tous les autres, comme si Cham n'avait pas cessé de peindre... ou plutôt... comme si pendant qu'il écrivait, dessous, il avait continué quand même... comme si, tout en écrivant, pendant toutes ces années, une part cachée avait continué... »

XII

Alors que ses rêves étaient abondants, et qu'ils se succédaient en un glissement continu, Cham eut soudain conscience que le monde nocturne et le monde diurne se touchaient comme se touchent le monde de l'eau et le monde de l'air à la surface d'une rivière — le sommeil n'étant que la pellicule départageant les deux. Sous cette pellicule, cette nuit-là, se tenait le peintre Adrien. Assis sur le bord du lit, il regardait Cham dormir. Et Cham, entre ses cils rapprochés, observait l'ami de jeunesse. Ce n'était pas le peintre terriblement vieilli rencontré au théâtre mais l'adolescent, l'ami débarrassé du masque du temps, tel que Cham l'avait connu au lendemain de la guerre. « Je reviens de chez toi, je suis entré dans votre maison à l'abandon et j'ai vu ce tableau dont Alex nous a parlé l'autre soir en sortant du théâtre. Elle a raison: entre le moment où tu as cessé de peindre et le moment où tu as peint ce tableau... pendant ces vingt années d'écriture, en toi s'est continuée une lente évolution. Sans le matérialiser, tu as continué de peindre ; quelque part au fond de toi des toiles, sans être des toiles, se sont faites sans se faire. Quelque part en toi le mouvement s'est perpétué. Bien que tu ne puisses produire les champs de création intermédiaires, par cette toile aperçue dans votre chambre abandonnée, j'ai pu constater que l'appétit de peindre, aucun

127

instant n'a cessé, malgré toi. Bien qu'écrivant tu n'as jamais cessé de peindre.

— Tu ne m'ébranleras pas! Je veux rester un peintre failli. Et si je ne peux échapper à la peinture, qu'elle continue en moi, sans moi!

— Pauvre, pauvre Cham, disait Adrien, le Dr V. a raison: la folie s'est mise en toi.

— Vois mes bras, disait Cham, regarde, là, là, sur mes mains, ici sur mes poignets, ne vois-tu pas ces traces de brûlures? C'est comme si des étincelles s'étaient collées à ma peau et y avaient imprimé ces traces de brûlures. Et même Alex a reçu une part de ce feu. J'en ai vu les traces dans la grande caverne de son œil. Au fond de son œil, s'est ouvert un paysage brûlé, j'en ai vu les rayons or et bleu, oui, j'ai vu ça!

— Pauvre Cham! Personne ne peut plus rien pour toi. »

Cham s'était tourné vers Alex, il la serre contre lui: leurs corps peau à peau sur toute leur longueur.

« Guéri », murmure Cham, dans la nuit.

Réveillé par le téléphone. Marti! Pourquoi Marti? Que nous veut-il? Sur le moment Cham ne comprend pas de quoi il parle.

« ... on l'a retrouvé pendu entre chez vous et le domaine.

— Qui? Quoi? De qui, de quoi parles-tu?

— ... à un arbre dans le troisième tournant de la piste. Le type à la moto. »

Un peu plus tard, le Dr V. les sonne:

« Marti vient de téléphoner. Quelqu'un se serait pendu dans les bois près de chez vous. Qu'allez-vous faire?

— Mais rien, dit Cham, que voulez-vous que nous fassions? »

Dans l'après-midi, Karlsen appelle Cham de New York:

« Marti est fou! Il m'a appelé à la galerie. Il ne cesse d'appeler. Je n'en ai rien à foutre de son pendu. »

Un peu plus tard, alors que Cham marchait sur le quai de la douane, soudain il sait. « Le type à la moto, je sais! » dit-il à Alex.

Peu de temps avant leur départ pour l'Italie, une moto s'était arrêtée devant la maison. Un grand type en était descendu, s'avançant vers Alex et Cham. Ils ne pouvaient voir son visage ni ses mains. Il était resté un moment à défaire les attaches de son casque ; il avait enlevé ses gants de peau noire qu'il avait posés sur la selle de la moto. Lentement, il s'était débarrassé du casque dont le plexiglas fumé donnait une impression de vide, comme si l'homme debout près de la moto n'avait pas de tête, pas de visage. La sangle de la mentonnière n'arrivait pas à glisser, et l'homme était là, debout devant Alex et Cham, tirant sur l'attache qui ne cédait pas. Enfin il avait réussi à se libérer du casque brillant et noir qu'il avait posé aussi sur la selle de la moto près des gants. Le visage nu apparut, tendu. Longs cheveux blond cendré, plats, retombant sur les yeux et dans le cou. Il était très jeune. Il était beau. Il dit: « Vous écrivez, alors j'ai pensé que vous auriez peut-être besoin de quelqu'un pour taper ce que vous écrivez. Si je savais que vous lui donnerez du travail, je partirais plus facilement. » Il leur avait laissé un morceau de papier avec le nom d'une femme et une adresse. Quelques jours après, Alex et Cham avaient pris le train pour l'Italie et ils n'y avaient plus pensé.

Maintenant l'idée de ce pendu entre leur maison et le domaine les obsède. L'ombre de l'homme mort dans la forêt oscille en Cham. Cette chose, cette ombre se balance sans cesse en lui. « Nous devons rentrer chez nous, dit-il, et j'appréhende de rentrer... »

Alex est étendue sur le divan du petit appartement, derrière le quai. Cham est venu près d'elle. Il dit:

« En pensant à ce jeune type pendu, si près de notre maison, je suis poursuivi par sa douleur que je n'ai pas su voir, le jour où il est venu. En vivant à l'écart dans nos collines, j'avais fini par confondre les autres en ce "prochain", ce "tous", l'"humanité" que je croyais pouvoir aimer sans retour, sans devoir, sans détail. Il y avait les autres, et puis nous — toi et moi. Je m'étais mis en confort. J'aimais aveuglément l'immensité des hommes, j'écrivais, comme jusque-là j'avais peint, loin de toutes ces crucifixions particulières. Je ne veux pas me dire que j'aurais pu pour l'homme à la moto, que j'aurais pu comprendre à travers ses mots, comprendre lorsqu'il nous parlait de cette femme qui, une fois qu'il serait "parti", pourrait taper mes textes à la machine, comprendre qu'en prononçant *parti* il disait *suicide*, *pendaison* dans la forêt, non loin de notre maison ; je ne veux pas je ne veux pas imaginer qu'il parlait pour être compris de nous.

— Mais il ne savait peut-être pas encore ce qu'il allait faire, lorsqu'il nous a parlé de cette femme qui pourrait taper tes textes.

— Je suis sûr qu'il venait nous parler de sa mort. Il était déjà mort... D'ailleurs il est arrivé avec sur son visage ce casque aveugle, tu te souviens? et nous avions eu l'impression qu'à l'intérieur de ce casque il n'y avait pas de tête, que ce casque était creux.

— C'est vrai, sûrement il se cachait derrière ce casque au verre fumé. Il avait retardé le plus possible l'instant où son visage serait vu par nous. Mais qu'y pouvais-tu, qu'y pouvions-nous?... Bien que moi aussi je pense que s'il était venu, c'est qu'il espérait peut-être que quelque chose, venant d'inconnus, le retiendrait... ou que des inconnus détecteraient sa détresse. Mais calme-toi, calme-toi, mon amour. Tu ne dois pas te charger de ce suicide... pas plus que tu ne devais t'accabler du suicide de...

— Lui était notre ami... Bien que jamais rencontré, lui était notre ami. En se fusillant au cœur c'est dans nos cœurs qu'il a tiré. Mais bizarrement, depuis que nous avons vu... depuis que nous l'avons vu... depuis ce film où il s'est matérialisé avec son cheval, tu te souviens ? je me suis apaisé. En le *voyant*, j'ai admis la disparition de celui dont la disparition m'était insupportable tant qu'il ne m'était pas apparu.

— Mais pour lui non plus tu ne pouvais rien. Qu'aurions-nous pu... ?

— Il n'est pas question d'empêcher... mais d'*accompagner*. Il faudrait être capable de prendre le fusil, de le charger et de le tendre. Pareil pour la corde qu'il faudrait *tendrement* aider à nouer. C'est cette solitude presque minérale de celui qui a décidé de sortir, d'anticiper, de nous précéder... C'est par cela que je suis hanté. C'est le chagrin.... le chagrin d'enfant que représentent ce geste, cet appel, qui me hante. Rentrons chez nous. Je dois voir où. Je dois comprendre où. Je veux savoir l'endroit exact où le type à la moto s'est pendu. »

XIII

Mais avant de quitter la ville italienne, Cham avait souhaité voir les petits porteurs de grappe dont lui avait parlé le Dr V.

Le bateau de fer, enfoncé dans l'eau jusqu'aux fenêtres, se dégageait de la pointe des Giardini pour traverser la partie plate du chenal. Cham et son ami R., le poète vénitien, parlaient sans s'étonner de ce que leurs yeux captaient de cette lumière laiteuse qui ce matin-là brouillait l'air et l'eau. Cham parlait du Dr V., de son désir fou de vouloir faire coïncider l'éthique et l'esthétique au point d'en arriver à se crucifier. Sur la vitre embuée, il avait même dessiné la machine paradoxale, par laquelle le Dr V. prétend démontrer que dans un monde qui ne désire plus se représenter comme un ensemble esthétique/éthique, l'« artiste » ne peut échapper au suicide de l'Art dégradé aujourd'hui en Culture.

Plus tard, pendant qu'ils avançaient sur la grève encombrée de petits déchets, Cham n'avait pu s'empêcher de revenir sur la représentation et le vol des images, sur l'utilisation des images comme substituts des mots, sur le vol de l'imaginaire par ce prétendu *objectif* qu'est l'œil des machines à imager, par lesquelles on est en train « de tordre le cou aux mots ». Alex, et M., l'amie du poète vénitien, marchaient avec eux le long de la grève.

« Peut-on réussir une œuvre géniale par des moyens amoraux ?

— Le surréalisme prête bien de la Beauté à la trajectoire de Gilles de Rais à ses actes...

— Beauté de la transgression...

— Beauté vraiment ?

— Le surréalisme a hissé le meurtre jusqu'à l'esthétique à travers Gilles de Rais, le curé d'Uruffe, le tir aveugle dans la foule...

— Entraînés par la logique de l'appropriation à travers les images, certains cinéastes ne peuvent se dérober au "crime" pour leur justification. Nécessité d'authentifier les images. Pourquoi un cinéaste plus "artiste" que les autres ne pousserait-il pas l'exigence jusqu'à reconstituer, avec de vrais enfants, les vrais crimes de Gilles de Rais ?

— Certains sujets ne supportent pas la fiction.

— Ce cinéaste serait un "artiste" en quelque sorte "moral"... "moral" à l'intérieur de son art.

— Quelle tentation de justifier l'image animée par l'éternisation de l'instant de mort ! L'instant de la mort. Mise hors du temps de l'instant...

— Ce sont des peintres qui les premiers ont disséqué des corps. En disséquant des corps ils prétendaient pénétrer au plus profond de l'éthique de leur art...

— Que fait le cinéaste si ce n'est cela ? Il pousse le paradoxe de l'appropriation par les images jusqu'au surréalisme...

— Jusqu'au *sacrifice* pour ce vertige du mouvement des images...

— Chaque jour, aujourd'hui dans le monde, on sait que des équipes de télévision demandent aux bourreaux de surseoir à des exécutions, le temps de régler les éclairages ou de recharger les caméras...

— Dans les films de fiction on éventre des chevaux, non par cruauté mais par souci d'art, pour donner du sang vrai à la fiction des meurtres d'hommes, comme si la proximité d'un égorgement de bête apportait un surcroît de vérité en introduisant le doute dans la fiction...

— En dépit du "respect dû à la personne", pour créer le choc émotionnel, un cinéaste "artiste" dissèque le cadavre d'un vieil homme tiré *providentiellement* de la morgue. Le cœur, les poumons, sont sortis à vue de la poitrine ouverte au sécateur chirurgical...

— C'est ça, l'instant, ce passage du mobile à l'immobile que tout cinéaste désire secrètement capter...

— Des images qui, prises une par une, sont mortes. Additionnées, elles se mettent à vivre...

— Quoi de plus fascinant que ce retour à l'immobilité? »

Ils arrivaient au cimetière juif du Lido.

Ils cherchent sur les stèles mais n'y déchiffrent que de l'écrit. Ils avancent sur un sol tourmenté. La terre s'est soulevée par endroit, faisant chavirer les pierres longues et plates dont certaines se sont fendues. De l'écrit, de l'écrit, sur chaque mort est plantée une page de pierre. Vertige d'écriture morte.

Ils s'enfoncent, tous les quatre, dans l'herbe haute, parmi les tombes dont les dalles penchent en tous sens.

A un moment, R. cite cette phrase:

« A l'origine l'écriture est le langage de l'absent. »

Un peu plus tard, il dit:

« On commence par céder sur les mots, on finit par céder sur la chose. Voilà comment en ne cédant jamais sur les mots, notre peuple a réussi à ne jamais mourir. »

Ils continuent à chercher parmi les pierres écrites. Pas le moindre signe de représentation. Les petits porteurs de grappe ne sont donc qu'une invention du Dr V.? se dit Cham, une métaphore comique improvisée parmi tes toiles levées dont le chaos ressemble à celui de ce cimetière.

R. a rejoint un peu plus loin sa jeune amie et Alex. Cham les regarde s'éloigner, enfoncés jusqu'aux épaules dans le champ de pierres sur fond d'eaux vertes. Au loin, la ville apparaît: minuscule cristallisation rose tellement mince, tellement fragile qu'elle semble se situer sous l'horizon. La vision — Alex avec M. et R., tous les trois enfoncés dans les dalles levées devant la ville rose — est si *écrite* en image qu'aucune association de mots, se dit Cham, ne pourrait fixer ça, l'inscrire en beauté. Tu vois trois statues qui avancent parmi les pierres levées. Vision qui n'a duré qu'un instant.

Maintenant ils vont ensemble, deux par deux. Et soudain, près de la grille qui sépare le cimetière de la mer, ils les découvrent: tels que le Dr V. les avait décrits. Sculptés en relief sur la partie haute d'une stèle, les petits porteurs de grappe marchent de profil, un grand bâton sur les épaules. Pendue à ce bâton la grappe énorme, aussi grande qu'eux. Cette représentation a quelque chose de dérisoire. Est-ce à cause de la grappe disproportionnée? On dirait deux nains, surtout qu'ils ont de grands chapeaux en forme de champignons.

L'image désimagine. Combien pauvre et naïve cette représentation de la Terre promise! L'écrit, lui, ne représente pas, pensait Cham dans le bateau de fer qui doucement les ramenait vers la ville, l'écrit n'est pas signe. L'écrit dit au mépris du signe. L'écrit n'est qu'un avatar du Verbe. En soi il ne représente rien, il est fait pour créer le choc intellectuel. L'étincelle. Au contraire, la représentation par l'image tire sa force de l'apparence du réel...

Le bateau approche de la ville, longe le quai, accoste au ponton.

XIV

Et c'est le grand silence de la forêt.

Etonnement d'être de nouveau dans ce cristal de solitude. En ouvrant la maison, Cham a été reçu par le silence délabré de ces vieux murs où se tient figée la trace de cet autre *toi* qu'ici il lui faut rejoindre. Maison de peintre, se dit-il, que viens-tu y faire? Des tableaux des tableaux, un écœurement de tableaux. Effroi devant la tâche qui l'attend. Il entre dans cette pièce où écrit celui qui depuis tant d'années vit dans cette maison de peintre. Sur la table la photocopie du manuscrit qu'il te faudra remettre en coïncidence avec le manuscrit que tu as emporté en Italie et que tu rapportes augmenté de quelques pages. L'être bicéphale croit sentir dans sa chair la lame glacée accomplir le partage entre celui qui a sécrété cette coquille et celui qui se voudrait insaisissable, insituable... Jamais Cham n'a senti si présente cette lame qui sans cesse tranche à l'intérieur, sépare fixement sa pensée dont les deux moitiés sont en perpétuel tremblement. Est-il possible que tu acceptes de te rejoindre, que tu te réintroduises sans te débattre dans cet être bicéphale qui vit ici? Tu vas donc t'asseoir à cette table et sans lever les yeux sur ces tableaux qui te disent: et l'autre et l'autre? tu reprendras les boucles de ton écriture? Non! Pas une ligne avant d'avoir expulsé de cette maison la foule indiscrète des tableaux de jeunesse et de post-jeunesse de l'autre. Voilà ce que se dit Cham en pénétrant dans ce lieu de désordre mental. Pas besoin du Dr V., ici s'est cristallisée ta folie! Il te suffit de jeter un regard circulaire sur ce lieu où tu écris pour en conclure que tu es un de trop. La crise a mis vingt ans, *tondo*, à se creuser. Si tu n'y prends garde, la violence du choc qui va te jeter contre toi-même risque de briser d'un coup tes deux talents.

Avant tout, se dit Cham, tu dois immédiatement, avec l'œil lavé de celui qui revient de la ville aquatique, tu dois juger de ce que tu avais cru une « fausse » toile de jeunesse... qui, en effet, pourrait être la première toile *visible* de la longue suite de toiles *invisibles* que l'autre, nullement mort en toi, aurai continué à « emmagasiner » (mot qui s'impose pour la marchandise qu'est destinée à devenir toute peinture) dans la remise obscure de la moitié tombée en sommeil de ta pensée. Qui de toi regarde cette toile clouée sur le mur, en face de votre lit? se demande Cham. Lequel de toi va-t-il porter un jugement? Celui qui a peint cela ou celui qui dépeint cela?

Alex l'a rejoint. Ils restent un moment à ne rien dire. La toile est bien là où Cham l'avait clouée.

« En effet, dit-il, elle ne ressemble à rien. »

Il se tait encore un moment. Alex dit soudain:

« Promets-moi de ne pas la détruire », à l'instant où Cham pensait: Si tu es revenu n'est-ce pas pour reprendre tes destructions?... à commencer par cette toile qui ne ressemble à aucune autre.

« Tu sais pourquoi nous sommes rentrés si précipitamment, tu sais combien tout cela me tourmente?

— Promets-moi d'épargner celle-là, insiste Alex.

— Pourquoi celle-là? » dit Cham essayant de prendre un ton détaché, tout en pensant: Il te faut maintenant *donner un sens* à tes destructions, remonter à l'origine, repartir à rebours, remonter de toile en toile jusqu'à tes premières toiles de jeunesse. Détruire tout, sans laisser cette fois le moindre jalon peint derrière toi. Et ensuite, libre, allégé... l'Italie à jamais!

« Je ne veux rien laisser derrière moi, dit Cham, cette toile s'est peinte par hasard cet été, tu le sais, je m'étais imaginé capable de me remettre en jeunesse, par un pacte avec moi-même: me faire en quelque sorte le faussaire de celui que malgré les années je me sens être encore. Cette idée m'enchantait, tu te souviens? Malheureusement, bien qu'ayant cru un moment m'être facilement remis en celui de mes jeunes années, malheureusement ma main, mon œil, mon esprit ont failli. Au lieu de produire un "faux" de ce moi depuis si longtemps perdu de vue, voilà qu'après un essai raté, une remise en route si parfaitement ratée, au lieu d'en rester là et d'en trouver la paix, il a fallu que je laisse sortir de moi cette peinture inimaginée. Au lieu de jouer avec le spectre coloré de mes toiles d'adolescence, voilà qu'émerge d'une zone que je croyais à jamais tranquillisée cette toile ni de jeunesse ni de vieillesse ni d'aucun temps, cette chose qui me dérange terriblement...

— Mais pourquoi, pourquoi te refuserais-tu à être dérangé par elle?

— Mais parce que, parce qu'elle m'oblige à compter avec elle. Elle m'oblige à prendre au sérieux un acte que j'avais cru oublié... dévalué par l'obsessionnel travail de l'écrit. Ah! que n'a-t-elle été ratée aussi celle-là! »

Ils rient. Allons, tout cela n'est pas sérieux!

De la chambre, Cham et Alex passent dans l'atelier. Il est resté tel qu'ils l'avaient déserté, dans le plus triste désordre. Cham pense au cimetière juif du Lido, aux petits hommes portant la grappe de la Terre promise. D'un regard il évalue le poids que représentent — et en réalité, et dans son esprit détraqué — toutes ces œuvres que tu n'as pas eu, se dit-il, le *talent* de vendre, de disperser à mesure... pas plus que tu n'as eu la force de caractère de détruire sans hésiter aujourd'hui. Il y a là plus d'une centaine de toiles. Tu dois t'organiser, se dit-il encore, tu dois dès demain procéder par ordre. Remonter ce temps peint. Et pour cela, commencer par cette chose étrangère que tu as sortie de toi cet été. Tu dois la décrocher du mur de votre chambre et par elle inaugurer cette remontée vers les mirages colorés de ta jeunesse. Mais pour cela il te faut convaincre Alex. Tu ne peux la brûler contre elle. Pas plus que les autres ! Seul son accompagnement t'empêchera de tomber en cet état de folie dont te menace le Dr V., l'ex-soigneur de fous. Comment expliquer cela à Alex, comment rendre Alex complice même de cela ? Comment, se dit-il encore, convaincre mon amour de m'accompagner en cela ?

Pendant qu'Alex défait les valises, Cham allume du feu dans les cheminées de différentes pièces. Par ces feux la maison reprend vie. Odeur de résine et de papier brûlé. Cham aime les claquements du bois de châtaignier attaqué par les flammes. Le voici à sa table. Il feuillette la photocopie du manuscrit qu'il avait laissée là, par sûreté, en partant pour l'Italie. Au feu photocopie ! Et pendant qu'il y est, au feu les différents états de ce travail !

Il remonte dans la chambre et récupère l'original dans une valise. Du calme, se dit-il, pas ça ! Non, tu ne feras pas ça ! Pas ça au feu ! Il est en telle émotion qu'il sue abondamment sous ses vêtements. Le feu sur le manuscrit ? Le feu sur tout. Il court d'une pièce à l'autre, tenant devant lui le manuscrit. Il court d'un feu à l'autre agité par la tentation, malade de tentation. Tout ici, se dit-il, appelle le feu. Foutre le feu indistinctement sur tout ça et en sortir, mon amour et moi, nus, débarrassés de toute cette création parasitaire. Plus de toiles, plus de manuscrits... et vous, Alex et toi, jaillissant du feu, intacts, prêts à poursuivre ensemble le splendide trajet de votre vie.

Cham remonte dans la chambre. Alex est assise devant la coiffeuse. Il va vers son amour et doucement il caresse ses épaules. Ils sont devant la glace, face à eux-mêmes. Cham se penche, il respire les cheveux d'Alex. Il est tremblant. De quoi suis-je malade? Troublé d'être revenu dans cette maison, cette concrétion de tant d'années de vie ensemble, toi et moi, ma chérie, il pense — et dit:

« Recommençons... Ailleurs... Tu dois m'aider... »

Elle s'est vivement levée et maintenant Cham la voit de dos dans la glace de la coiffeuse. Ses bras autour d'elle. Ils s'étreignent et se balancent étreints en riant.

« Il est temps de liquider tout cela, dit Cham, veux-tu tout recommencer avec moi?

— Oui oui oui! » lance Alex avec exaltation.

Buée dans leurs yeux.

En arrière-plan est la menace confuse: un ensemble indistinct de visages, de voix, d'ombres, de mouvements divers; il sont là, ils nous entourent, se dit Cham, ils sont trop nombreux!

« Tu dois m'aider à faire le net, dit-il, rien ne doit rester derrière nous, comprends-tu? Rien! Je ne veux rien derrière nous! »

Alex dit qu'elle ne craint pas de tout abandonner derrière eux, qu'elle est prête à tout recommencer, avec lui, à fuir avec lui comme elle avait fui avec lui dès qu'ils s'étaient rencontrés.

« Tout ce que tu veux, dit-elle, mais pas tes tableaux.

— Eh quoi? dit-il en riant, tu nous vois fuyant avec sur le dos ce tas de toiles qui non seulement pèsent des tonnes mais obstruent ma pensée, obstruent l'horizon, nous coupent de toute Terre promise. Nous sommes aussi ridiculement encombrés que ces deux petits personnages avec leur grappe

141

monstrueuse... Je ne veux pas de bâton en travers de nos épaules, ni rien qui nous charge et pende de ce bâton. D'ici la fin de l'année toutes les toiles qui languissent dans la nuit de mon atelier auront passé par l'épreuve du feu, ah, ah, elles seront passées par l'alchimie purificatrice du feu.

— Non! Non! Je ne veux rien savoir, s'exclame Alex, tu ne peux pas faire ça! Tu ne peux pas te faire ça! Tu ne peux pas me faire ça! Je ne peux imaginer que certaines de ces toiles disparaissent à tout jamais...

— Mais elles ne disparaîtront pas, elles se seront miraculeusement transmuées, ma chérie. Elles se seront unifiées, hors du temps des hommes, en ces résidus brûlés... ou si tu préfères en métaphores. Tu ne peux imaginer comme tout à coup cela m'exalte! Grâce à Karlsen, à J.F., au Dr V.. je sens que je suis en train de m'extraire de l'être bicéphale que je suis. En détruisant par le feu l'aspect, ou si tu préfères le *visage* de mes toiles de post-jeunesse, de jeunesse et d'extrême jeunesse, en anéantissant leur *regard* sur moi, sur nous, en les transmuant par le feu en choses indéfinies, je serai délivré du poids terrible de toutes les questions qui sont restées depuis si longtemps posées sur la surface de mes toiles. A vrai dire: pas *les* questions mais *la* question: la représentation de... disons de la Beauté, de cette fixité par laquelle on pourrait qualifier la Beauté. Sur la surface de ces toiles s'est incarné ce permanent désir qui m'a tenu pendant tellement d'années en obsession: saisir cette fixité: ajouter de la Beauté. Mais chaque toile sortie de moi n'a réussi qu'à *soustraire*, de toile en toile, *soustraire* de mon capital de foi en mes capacités de produire de cette fixité, oui, *soustraire*.

— Folie de l'absolu.

— Oui, folie de l'absolu... Folie qui m'a jeté en crise contre ce mur fixe de l'insaisissable jusqu'à ce que, par un terrible retournement, ma main se mette à tirer ma pensée en sens contraire, produisant ces toiles où se tenaient, dans une tout autre fixité de crise, mes terreurs... C'était alors que j'aurais dû détruire, à mesure, détruire jour après jour, toile après toile. Sombrer totalement dans l'absolu... Dans la jouissance absurde de l'absolu. Dans cet orgueil. Mais voilà, je les aimais ces toiles... ou plutôt je ne les détestais pas comme aujourd'hui je les déteste de me fixer comme des chiens battus de tous les coins de mon atelier.

— Parmi toutes ces toiles, dit Alex, je suis sûre que tu en aimes encore.

— J'en ai aimé certaines à l'instant où elles sortaient de mes mains. Tu le sais, j'espérais encore, de l'une à l'autre, de désir en désir, par l'aiguisement de ce désir j'espérais... jusqu'au jour où, désespérant, j'ai tenté de noyer le peintre en écriture.

— Si tu acceptais de les regarder en face, je suis sûre que tu ne les renierais pas toutes.

— C'est possible... bien que...

— Promets-moi au moins de ne pas détruire celle-là, cette toile d'aucun temps.

— D'accord, dit Cham en riant, d'accord pour celle-là si tu y tiens...

— Promets-moi de ne plus rien détruire...

— Je te promets de ne rien détruire que *nous* n'ayons *ensemble* pesé. promis! »

Voilà comment, dès la première semaine de leur retour d'Italie, fut commencé le grand tri. Cham déplaça d'un côté à l'autre de l'atelier la masse des tableaux, laissant un vide suffisant pour qu'à mesure il soit possible d'entasser, d'une part, les tableaux condamnés, et de l'autre, ceux qu'Alex prenait sous sa protection. Pour chaque toile, long fut le procès. Procureur et défense se tenaient sur le petit divan, et, une à une, comparaissaient les œuvres — qui toutes secrètement étaient vouées à disparaître car depuis long-temps la sentence finale était en Cham. Pour la première fois peut-être, depuis que K. leur avait imposé son voisinage, Cham se trouvait en insouciance et gaieté. Qu'Alex participe à ce procès, qu'elle se laisse doucement gagner par les arguments de Cham et se range à ses raisons pour telle toile ou telle autre, soulevait entre eux des rires merveilleux. Est-il possible, se disait Cham, que même de cela, de cette terrible remise en question nous réussissions à en tirer des rires et des plaisirs inattendus ? C'était un peu comme si, délicieusement enfoncés côte à côte sur le petit divan de l'atelier, ils s'amusaient, sur le tard de la vie, à feuilleter un vaste album de photographies, n'en gardant pour finir que quelques-unes. Rien de bien tragique à cela. Que nous soyons là, se réconfortait Cham, tous les deux sur le divan de mon atelier, nous disputant en riant pour la sauvegarde ou la destruction de ces témoins restés en rade depuis tant d'années n'est-ce pas signe de jeunesse ? de santé ? Ces joyeuses disputes le grisaient, les mettaient hors gravité. Le tri, la condamnation et le futur acte de destruction avaient perdu leur côté testamentaire. L'amoureux procès qui se jouait entre eux, sur le petit divan de l'atelier, s'était peu à peu substitué à la simplicité des sentences que jusqu'à présent Cham avait rendues seul, dans la plus désespérée des angoisses, et avec la muette réprobation d'Alex. Cette fois, ils s'étaient placés dans le jeu. Ensemble dans le jeu. Hors du futur. Les crémations à venir ne figuraient pas vraiment dans ce jeu. De ce côté, les toiles qu'Alex réussissait à *gagner* sur Cham, de cet autre, le butin de Cham.

Il se levait et il allait prendre par la peau du cou une nouvelle toile. Et une nouvelle partie s'engageait entre Alex et Cham. Voilà à peu près comment se passèrent les quel-ques semaines qui de l'automne les firent entrer dans l'hiver.

144

Bientôt Karlsen, J.F., et le Dr V. seront au domaine, ainsi que de nombreux invités, tous amateurs, peintres ou commissaires de musées. Dans un coin de l'atelier les toiles sauvées par Alex, dans l'autre le tas de celles qui cette fois n'avaient aucune chance d'échapper. Plus tard, se disait Cham, quand le feu sera venu à bout de tes condamnées, tu réussiras bien à susciter des procès en révision pour celles qu'Alex croit avoir définitivement mises hors de cause. Mais plus tard, plus tard! Du calme! Patience! Peu à peu tu réussiras bien à lui soutirer ce qu'elle croit avoir sauvé de ton œuvre peinte. Ce procès avait mis Cham en folie calme. Il allait pouvoir mettre calmement le feu sur ces choses, ce tas lamentable, pensait-il en lui-même, et en jouir calmement, main dans la main avec Alex, mon amour, il était calme, très très calme.

Mais avant de poursuivre, nous devons parler de la corde. Revenons en arrière et parlons de la corde de bateau qui, au moment de leur départ pour l'Italie, avait servi à Cham... comment dire?... à assurer, arrimer un vieil arbre qu'il trouvait un peu branlant. Il avait cru remarquer que par mistral cet arbre oscillait dangereusement au-dessus de la véranda. Craignant que le tronc ne se rompe pendant leur absence et n'emporte dans sa chute un coin de la véranda, Cham avait, au dernier moment, pris la décision — ridicule il le savait — d'attacher l'arbre avec une bonne corde de bateau en nylon rose orangé. Nouée à plusieurs tours, elle allait s'enrouler plus loin au tronc d'un arbre apparemment plus vigoureux. Ainsi, s'était dit Cham, tu peux t'absenter pour ces deux mois en Italie, débarrassé de tout souci... Cette histoire de corde ne mériterait pas d'être rapportée si elle n'était venue empoisonner le retour de Cham et d'Alex en les liant, en quelque sorte, directement à la mort de l'homme à la moto. Voilà comment : la distance entre les deux arbres ne dépassait pas une dizaine de mètres. La corde, elle, en avait une bonne vingtaine. Une fois les nœuds faits aux deux arbres, il se trouvait cinq ou six mètres de corde en trop. Cham aurait coupé ce surplus, son esprit serait resté sans doute en paix. Mais tu ne l'avais pas coupé, se disait-il sans cesse depuis leur retour, tu n'as pas eu l'idée de couper ce fatal surplus ! Tu l'avais tout simplement enroulé au pied de l'arbre... Et voilà que pendant leur absence, l'homme à la moto était revenu rôder autour de leur maison. Avisant ce surplus de corde, il l'avait tranché et emporté. Sur le moment, Cham n'avait pas compris pourquoi ce bout de corde manquait. Puis il avait appris par Marti — lui qui avait découvert et décroché le pendu — de quelle couleur était la corde. Depuis, l'homme à la moto s'était fixé en plein dans le paysage de Cham. Il ne peut regarder maintenant les vallonnements boisés, les plans étirés des collines, sans penser à l'homme sans visage luttant avec la mentonnière de son casque, et au récit de Marti dont les détails, toujours les mêmes, se superposent mots sur mots.

Et Marti a été contaminé, se disait Cham, en l'écoutant. Marti n'est pas sorti de l'effroi de sa découverte. En coupant la corde, en prenant contre lui le corps, en tentant d'insuffler de l'air dans la bouche du jeune cadavre, l'appétit de mort est entré en lui, le désir d'accompagnement s'est insidieusement infiltré en lui. Je reconnais la marque sur lui, quelque chose de décalé, de bougé, de déjà désolidarisé d'avec lui-même, se disait Cham, alors qu'attablés dans la grande cuisine du domaine, il subissait encore une fois le récit de la découverte et du décrochement de l'homme à la moto. Marti provoque en toi ce même malaise que l'homme à la moto. Sur son visage est écrit son avenir... Combien court est son avenir, et en son corps est déjà inscrite la forme que doit prendre sa mort.

XV

Il pleut sans discontinuer, une pluie froide qui arrive de biais. Cham est impatient de repartir pour l'Italie. Tu ne dois pas t'attarder ici, tu ne dois rester ici que le temps d'accomplir l'œuvre de destruction, se dit-il en allant et venant à travers la maison. Mais de jour en jour il remet. Et pourquoi remet-il? Serait-ce que maintenant l'innocence est perdue? Cham aurait-il le trac? Adrien, J.F., le Dr V., Karlsen l'auraient-ils mis en responsabilité, malgré lui? Cham constate qu'il n'ose plus prendre le risque d'un feu sauvage. Tu dois *réussir* tes incinérations! Quelque chose comme un désir de « beauté » se précise en lui. Ces incinérations il les désire « belles », plus « belles » que les premières. Il veut les diriger, il veut se servir du feu et non plus être servi par le feu.

Sale automne pluvieux traversé de bourrasques. Dois-tu attendre un temps sec? Te risqueras-tu par ces jours pluvieux? Les semaines se succèdent sans que Cham réussisse à se décider. Pourtant le Nouvel An approche; de l'automne nous voilà passés en hiver. Ce matin il a gelé, les vasques où s'abreuvent et se baignent les oiseaux sont recouvertes d'une lame de glace. Brûlerai-je par ce gel? se demanda Cham. Par cette belle journée froide tu devrais réussir l'« œuvre ». Le voilà en obligation d'Art.

Il traîne une dizaine de toiles condamnées qu'il entasse dans l'herbe, là où l'été dernier s'était accompli cette sorte de travail d'art inconscient. Il arrose d'essence et la flamme s'élève. Au lieu de retrouver ce si noir plaisir de l'été dernier, le voilà en émotion. Son cœur se met à battre fort, vite. Cham a dû jeter trop d'essence sur les toiles, le feu lui semble trop riche, trop destructeur. Vite, vite de l'eau! Il court, il déroule le tuyau d'arrosage. Les toiles prennent des formes d'une telle souffrance! Elles se soulèvent, la chaleur les voile, fait grésiller les couleurs qui goudronnent.

Alex a rejoint Cham. Elle l'aide à éteindre les flammes. Ils dispersent le tas de tableaux à demi brûlés et restent un moment silencieux, l'un près de l'autre, à fixer ces choses qui braisoient et charbonnent dans l'herbe.

Mais loin d'être délivré, voilà Cham rongé d'inquiétude. Aurais-tu raté ton coup? Non, la réduction... la transmutation lui semble splendidement réussie. Les surfaces peintes ont l'aspect souhaité. Bien que brûlés, les supports ont parfaitement résisté. Serais-tu en admiration devant ces rognures? Oui, tu dois l'avouer, te voilà pris. Le destructeur, par cette transmutation, s'est transformé: « Pas mal, non? » dit-il à Alex. Alex n'a rien répondu et s'est sauvée en courant dans la maison. Alors qu'un peu plus tard elle panse les mains légèrement brûlées de Cham, il constate qu'elle a pleuré. Il ne dit rien.

Hier, Cham a tenté une seconde fournée de toiles condamnées. Cette fois il a voulu diriger avec plus de sang-froid l'incinération. Il n'a pas laissé faire le feu. Il a décidé d'en incinérer un certain nombre — mais une à une. Pendant toute la matinée Alex est restée près de Cham. Avant que ne commence la séance de transmutation, elle a réussi à soutirer la grâce de trois tableaux des années 60. Les larmes n'étaient pas loin derrière les rires... Elle a emporté les trois tableaux épargnés, et Cham a commencé son travail de destruction contrôlée — sans qu'Alex ose s'en mêler. Après qu'elle eut mis en sûreté les toiles qu'elle avait réussi à soutirer au dernier moment, elle était revenue et se tenait, attentive et tendue, un peu derrière Cham.

Feu sur le premier tableau. La flamme s'élève avec une merveilleuse vivacité. Cham laisse brûler sur une face puis sur l'autre. La chose peinte bouge dans l'herbe, semble souffrir comme un corps qu'une intense douleur fait s'arc-bouter, se tordre et retomber. Grésillement, boursouflement de la surface du tableau, gonflement des *chairs* du tableau qui par endroit éclatent laissant couler une sorte de lymphe qui, une fois le feu éteint, se fige. Cham arrose au jet. Ensuite il traîne le cadavre carbonisé un peu à l'écart contre le mur de l'atelier. Serait-il possible, se dit Cham, que sans l'avoir voulu te voilà pris par quelque chose qui ressemblerait, en effet, à de la Beauté ? J.F. le collectionneur, Karlsen et le Dr V. auraient-ils senti mieux que toi... Quoi ? Qu'ont-ils vu dans ces incinérations que ni toi ni Alex n'aviez vu ? Intolé-rable impression de perte de personnalité. Douleurs acérées dans le côté gauche. Mouches devant les yeux. Cham se laisse tomber dans l'herbe. Alex s'est assise près de lui. Ils restent un moment en contemplation, oui en *contemplation* devant cette chose encore fumante. Le ciel d'hiver est d'un bleu intense au-dessus d'eux et, dans cette lumière trop nette, presque chirurgicale, il semble à Cham que le tableau se remet à vivre. Bien que profondément brûlé, il se dégage de lui une présence — comme si, malgré le traitement qu'il vient de subir, toute l'énergie créatrice, tout l'espoir qu'en des temps lointains Cham y avait mis se trouvaient là, intacts. De constater cela met Cham en fureur immobile. Extérieure-ment il est calme, impassible même. Dedans c'est une rage désespérée. Donc en brûlant, tu peins encore ! Ah, je souffre! Le feu est entré en moi! Alex serre Cham contre elle. Ils se balançent, étreints.

« Transmuer par le feu n'est qu'une demi-mesure, c'est détruire complètement qu'il aurait fallu. C'est au vide absolu que je dois aller. Seul le vide est véritablement plein. »

Cham empoigne la bouteille d'essence, il veut arroser une nouvelle fois la toile insuffisamment détruite. Alex l'en empêche. Elle le supplie d'épargner cette chose, elle veut pour elle cet objet nouveau auquel elle trouve une réelle beauté, dit-elle à Cham. Elle veut garder pour elle cette incinération, la joindre aux toiles qu'elle a réussi à extorquer. Elle l'emporte et la cache quelque part dans la maison.

Demain, c'est décidé, tu vas tenter quelque chose de plus précis, de plus sûr dans la facture, de plus subtil dans la façon de brûler. Tu dois diriger le travail de transcendantalisation. Demain tu te procures une lampe à souder et tu brûles comme si tu peignais. Résultat: quelques brûlages que Cham considère comme *ratés*. Le voilà rongé par cette vieille perplexité du peintre confronté à la chose mystérieusement venue de lui.

Il a accroché ces nouveaux « brûlages contrôlés » sur les murs des différentes pièces de la maison — comme il le faisait de ses toiles fraîches, à l'époque où il peignait. Et à longueur de jour voilà qu'il court d'une pièce à l'autre dans l'espoir canin de la récompense rétinienne. A tout moment son œil est en désir de surprise, son œil souhaite cette caresse du tableau réussi. Son intelligence, elle, se rebelle contre ce désir d'apaisement par l'œil. Non, plutôt dix véga que l'insidieux bêtabloquant du Beau! se dit-il. Je veux rester en souffrance inapaisée. La boule informe qui me tient lieu d'âme, je la veux encore plus enchevêtrée. Indéchiffrable. Je refuse le baume de la surface réussie. Je veux demeurer dans l'insaisissable, se dit-il tout en courant d'une pièce à l'autre pour maintenant décrocher ces dernières incinérations qu'il traîne dans l'atelier où il les jette.

« Fini ! Plus de lampe à souder ! Plus d'art dans le non-art ! A partir de maintenant tu brûles par nécessité d'allégement... tu brûles froidement pour te débarrasser du grand poids mort de ta peinture dont l'encombrement te poursuit. Tu brûles... Ensuite, ensuite l'Italie ! Alex et toi pour toujours en Italie ! Plus de tableaux derrière toi pour vous retenir ! » Il parle tout haut en allant et venant dans la maison.

Une épaisse couche de neige est tombée pendant la nuit. Ce matin, téléphone de Karlsen. Il vient d'arriver au domaine. Il souhaiterait monter les voir, avec Anna, dans l'après-midi. C'est Alex qui répond. Elle interroge Cham du regard. Il fait un geste résigné.

Délices de la maison chaude. Le feu d'angle croule de bûches incandescentes. Alex et Cham sont dans la véranda dont les miroirs multiplient la profusion de palmes chargées de neige. Végétation tropicale que la neige rend noire, toute de griffes et de crochets d'acier... Ah ! voilà Karlsen et Anna en trappeurs ! Enfoncés dans la neige haute, ils montent le chemin. Marti est avec eux. Alex et Cham sortent à leur rencontre dans la blancheur silencieuse.

Premières paroles de K. : « Et alors, Cham, ces incinérations ? Où en sommes-nous ? » Il se débarrasse de sa chapka et de sa veste de fourrure.

Cham indique, dans un coin de l'atelier, le tas de toiles brûlées. Karlsen et Anna sont assis sur le petit divan. Et voilà que Karlsen, de là où il se trouve, commence à diriger Marti.

151

Il lui donne l'ordre de déplacer les incinérations pour en mettre quelques-unes en lumière. Et Marti s'empresse, obéissant aux ordres du marchand de tableaux avec une obséquiosité qui ne lui ressemble pas. Que s'est-il passé entre eux depuis l'incident de la cascade? C'est la première fois qu'Alex et Cham les revoient ensemble. Pourquoi cette obséquiosité provocatrice chez Marti? Et pourquoi Anna cherche-t-elle à adoucir les paroles de Karlsen par ces regards désolés vers Marti?

Une lumière froide éclaire les toiles détruites. Lumière reflétée par la neige. Soudain, Cham prend conscience de l'horreur de ce qu'il a accompli. Du saccage sans retour. Mais ce qui surtout provoque chez lui une répulsion insurmontable, au point de ne pouvoir bouger du fauteuil rotatif où il s'est jeté, ce sont les mains de Marti sur ce qui reste de ses tableaux. Mains grossières, mains étrangères. Elles sont sur les toiles de Cham, elles empoignent les toiles détruites et, sur ordre du marchand, les exposent en tous sens contre le mur blafard. Désespoir de ce que tu as détruit, se dit Cham, désespoir jusqu'au fond de ta chair! Ces toiles mangées de lèpre noire sont ta chair, tu ne peux abandonner ta chair aux mains des bourreaux.

« Non, ne touche pas à ça! Laisse, je te prie de laisser ça! dit Cham en arrêtant Marti.

— Mais pourquoi cette exaspération calme? dit Karlsen, s'adressant à Alex.

— Je ne supporte pas! Je ne supporte pas! » dit Cham, repoussant calmement Marti. Et il se met à rassembler ses toiles, en tas dans un coin de l'atelier.

« Voyons, Alex, dit Karlsen, Cham plaisante?

— Sûrement pas.

— Quoi, il ne va quand même pas saboter tout le travail que nous avons fait autour de ses trucs? L'exposition est annoncée. Nous avons prévu avec J.F. et le Dr V. un catalogue. Même ton vieil ami Adrien souhaite écrire un texte sur ces temps où vous débutiez ensemble.

— Non, non! Pas de texte! Le silence! Pourquoi me poussez-vous tous à re-devenir? Pourquoi me voulez-vous celui que depuis longtemps je ne suis plus? A partir de maintenant personne ne mettra plus les pieds dans mon atelier. Tu as réussi à faire revivre en moi quelque chose comme le désir de *faire*. Voilà le résultat! J'ai été tenté par toi. Oui, tenté de me remettre en jeunesse par le *faire*. Je te demande de ne plus te souvenir de ce que j'ai été ou de ce que j'ai voulu être. Tu es venu et tu m'as alourdi de moi, tu m'as alourdi de cet autre moi que j'avais réussi à isoler ici, dans l'obscurité de mon atelier. Dorénavant, celui de moi que je ne veux plus être restera ici, dans une définitive obscurité. »

Et pendant que Cham parlait, ou plutôt pendant que ça parlait, il voyait, sur les lèvres du marchand de tableaux ami, un sourire dont la tranquillité blessait Cham comme si la mince lame de ce sourire glissait jusqu'à son cœur.

Enfin ils s'en allèrent, Anna, Karlsen et Marti. Après leur départ la neige se remit à tomber, effaçant leurs traces autour de la maison et sur le chemin.

XVI

Cette nuit, voilà qu'un léger bruit venant de l'atelier réveille Cham. Doucement, il a été jusqu'à la porte qu'il a entrouverte. Que font-ils là? Comment sont-ils entrés? Ils sont deux, avec des lampes de poche, à fouiller dans le coin où Cham se débarrasse des différentes versions de ses manuscrits. Depuis longtemps il aurait dû s'attaquer à la destruction de ces traces — strates —, mais jusqu'à présent il remettait par paresse, par indifférence... et peut-être aussi pour éviter le côté testamentaire que prend toute destruction de papiers manuscrits. Brûler des toiles est un acte fort, un crime. Défi aux lois qui protègent les choses dont l'homme ne cesse de s'entourer pour se masquer le vide intolérable du monde. Alors que brûler les différents états d'un travail d'écriture c'est supprimer de gênants témoins de notre faiblesse, c'est vouloir faire croire à l'inspiration de la pensée, la placer au-dessus de la boue laborieuse des mots. Brûler ce monceau de feuilles raturées, surchargées de son écriture tellement serrée qu'à Cham lui-même elle reste indéchiffrable, lui aurait semblé un signe de dévitalisation, un réflexe de prudence, une annonce de mort. Voilà pourquoi, bien que l'idée lui en soit chaque fois venue pendant ses crémations de tableaux, Cham n'avait pas profité de ces bûchers pour se débarrasser de ces milliers de feuilles qui ne pouvaient que dénoncer ses incapacités à dire juste du premier coup. Ces surfaces, qui de blanches étaient devenues noires à force de ratures, de repentirs et de surcharges, que n'y as-tu mis le feu, se dit Cham en refermant doucement la porte de la chambre où Alex dormait. Puis il descend les marches qui s'enfoncent dans l'atelier. Un homme et une femme sont là, parmi les feuillets qu'ils ont répandus sur le sol maculé de vieilles gouttes de peinture.

« En voilà pour toi... » chuchote l'homme en tendant à la femme quelques poignées de feuilles manuscrites.

« Par chance il les a toutes numérotées, chuchote la femme ; tiens, celles-ci font partie de ton lot.

— Pour cette nuit ça suffit peut-être...

— Qui êtes-vous, dit Cham, comment avez-vous réussi à pénétrer ici ? »

L'homme et la femme ont éteint leurs lampes de poche. Mais Cham n'a pas hésité à allumer brutalement l'électricité. Pris sur le fait, ils clignent des yeux et serrent contre leurs poitrines d'épaisses liasses de manuscrits.

« Nous sommes des manuscriptologues, dit la femme. En général, nous travaillons après la mort des auteurs. Mais dans votre cas, la prudence nous a obligés à ouvrir ce chantier. Nous avons été avisés de vos incinérations par les commissaires chargés de veiller sur le patrimoine pictural de l'humanité. Au début, vos incinérations de tableaux les ont inquiétés mais, très vite, ils ont saisi le sens de votre démarche, puisque vos incinérations ne sont pas des destructions radicales mais, disons, des *repentirs*, ou si vous préférez des retouches à des œuvres depuis longtemps repérées, scataloguées. En les passant par le feu, vous leur avez donné un surcroît de contenu, vous avez en quelque sorte ajouté à leur histoire, vous les avez épaissies... et valorisées, ça tout le monde le sait. Comme il est impossible de vous ranger dans nos catégories et que vous ne cessez de brouiller vos pistes, nous nous sommes émus de ces rumeurs de bûchers... surtout quand nous avons appris que, le jour de votre retour d'Italie, vous avez osé jeter au feu les différents états du manuscrit sur lequel nous savons que vous travaillez en ce moment. Depuis, chaque nuit, nous nous introduisons dans votre atelier-poubelle et nous fouillons. En vous remettant à peindre...

— Mais je ne me suis pas remis à peindre.

— ... en vous remettant dans votre peau de peintre, en réactivant votre stock de toiles, vous nous avez autorisés à vous considérer, jusqu'à nouvel ordre, comme un auteur mort — puisque c'est le peintre qui brûle, qui incinère, qui joue avec le feu...

— Mais je ne joue pas avec le feu! Je suis dévoré par le feu!

— C'est bien cette dévoration par le feu que nous autres manuscriptologues nous craignons. Ce tas nous appartient, c'est à partir de ce tas de vieilles feuilles que nous allons construire un objet littéraire, une entité organique qui ne vous appartient pas puisqu'elle sera organisation de vos avant-textes. C'est le mouvement même de l'écriture que nous re-traçons, son équipée génétique au plus près, comprenez-vous? Nous sommes là pour constituer le dossier complet des chutes rédactionnelles de vos différents ouvrages. Nous classons chronologiquement les brouillons captifs de ce tas moisi, nous les soumettons à la bêtaradiographie des filigranes et autres observations au laser dans le but de dater les différentes versions, déchiffrer les illisibles, peser leurs vieillissements. C'est l'étape première par laquelle passe tout travail sérieux de réactivation. La critique génétique est une méthode microchirurgicale qui fait flamber les manuscrits, qui les illumine...

— Mais je ne veux pas, je ne veux pas que *vous*, vous les fassiez flamber!

— Nous voulons! Tout texte doit rendre gorge. Seule la critique des variantes, la mise en lumière du mouvement qui a précédé le texte final importera au lecteur du futur. C'est à ce lecteur du futur que nous nous adressons. Demain le texte ne sera que l'appendice en quelque sorte parasitaire de l'édition critique qui racontera l'aventure de sa rédaction. »

Cham a éteint la lumière. Il est retourné se coucher auprès d'Alex.

Dans l'aube grise, il voit peu à peu sortir du mur, en face de leur lit, la toile dernière, cette toile qui n'est ni un tableau de jeunesse ni un tableau récent mais l'addition de tous les tableaux qu'il n'a jamais peints pendant ces vingt dernières années d'écriture...

Et, pendant qu'ils continuent à froisser les papiers de Cham, dans l'atelier à côté, il se dit en se tournant et se retournant dans le lit, il se dit avec désespoir: Jusqu'à présent pour chaque toile que tu exhumais du charnier de ton œuvre, une foule de questions venaient brouiller tes efforts de lucidité. Tu t'asseyais sur ton vieux fauteuil rotatif et tu restais de longs moments à regarder fixement telle de tes toiles ou telle autre jusqu'à ce que tu retrouves, en te diluant en elle, la sensation qui, au moment où tu l'avais peinte, te l'avait fait admettre et abandonner dans l'état où tu la redécouvres aujourd'hui, vingt, vingt-cinq, trente ans après. Et Cham se dit: Pourquoi t'acharnes-tu à nier celui qui a peint cela? Quel besoin as-tu de l'assassiner? Oublie que tu as été celui qui a peint cela. Dis-toi qu'un autre, ton frère, un ami de jeunesse, un inconnu (même) a peint cela. Admets cet inconnu, cet ami, ce frère. Pourquoi le néant pour lui? Pourquoi, par l'écriture, as-tu voulu le néant pour lui? Et Cham s'endormit.

XVII

« Cette fois, nous sommes plus nombreux que d'habitude, dit le poète-criminologiste. Vous en connaissez certains, d'autres sont là pour la première fois. J. F. est arrivé hier ; le Dr V. arrive demain ; le peintre Adrien, votre ami de jeunesse, est attendu. Il y a aussi quelques commissaires muséologues ainsi qu'un commissaire-priseur expert en peinture vivante. »

Ayant appris par Karlsen que Cham n'avait pas détruit la toile qu'il avait peinte l'été dernier, le poète-criminologiste s'était fait conduire en jeep par Marti.

« Alors, vous ne l'avez pas détruite. Je suis très impatient. Karl vous a-t-il dit que j'ai acheté chez lui un tableau de vos années cinquante ainsi que deux incinérations ?

— Je ne veux pas le savoir, dit Cham.

— Mais vous devez le savoir. Vous devez savoir où sont les tableaux que vous avez peints. Qui les possède. C'est en sachant qui les possède que vous aurez quelque chance de savoir qui vous êtes. Vous êtes par ceux qui vont ont choisi. En choisissant tel tableau de tel peintre ou de tel autre, en nous entourant de leurs tableaux, par ces signes nous manifestons notre singularité... mais aussi celle de ces quelques peintres qui nous servent à nous rallier. Vous par nous, nous par vous, nous nous édifions. Nous construisons un ensemble occulte, quelque chose d'à part, d'inaccessible à ces piétons du samedi qui courent ils ne savent après quoi, confondant art et culture, ne comprenant pas que ce qu'on nomme hâtivement culture aujourd'hui n'est pas forcément art... et je dirais même forcément n'est pas art. Notre tribunal se tient ailleurs, hors de portée de la rue. Nous accumulons les pièces des futurs grands procès en réhabilitation. Nous participons à l'injustice immédiate en vue de ces futures réhabilitations. Ce qui me passionne en tant que poète-criminologiste c'est ce processus de, disons, rectification, ces sortes de *repentirs* qui disent quoi? Que le nombre est du mauvais côté, que toujours le nombre se trompe, que la multitude ne comprendra jamais rien à la vie puisqu'elle n'a jamais rien compris à l'art, et n'y comprendra jamais rien. Là-dessus je suis en désaccord avec le Dr V. Qu'il se vende à un musée, qu'il s'expose, qu'il devienne l'objet des multitudes ne peut que le réduire à l'attractif. Qu'est-ce qu'un Christ sans le grand, l'infini procès en réhabilitation instruit par les Eglises? »

Ils se trouvaient assis sur le lit, face à la toile clouée au mur.

« Accepteriez-vous de me la vendre? » dit le poète-criminologiste.

Cham rit et ne répond rien.

« Vendez-la-moi, je vous promets qu'elle disparaîtra à jamais, que nul ne la verra. Pensez-y. Je ne reste que quelques jours. Je ne supporte pas l'atmosphère de confinement du domaine. En été c'est déjà à peine vivable mais en hiver... Ce fou de Marti... Tout à l'heure dans la jeep... Ce garçon est en crise contre Karlsen. C'est à croire que depuis cet été il n'a cessé de nager dans le trou de la cascade. Il est là dans l'eau noire et il cherche le moyen d'en sortir. L'ennui c'est que Karl au lieu de le tirer de là, l'enfonce, joue à l'enfoncer, lui appuie sur la tête pour l'enfoncer. Et plus Karl enfonce Marti, plus Anna prend le parti de ce garçon qui s'enfonce et nage dans le noir. Classique! Que Marti soit ce qu'il est, que nous importe. Mais que Karl se laisse aller à le persécuter... Au fond, Karl est victime de la force de l'absence. Elle est plus réelle que le réel. S'il s'acharne contre Marti c'est que celui-ci représente le plein de son absence. Pendant qu'il est à New York, à Londres, à Paris, Marti, lui, est ici. Et ça, Karl ne peut l'accepter. Ce type que Marti a retrouvé pendu dans la forêt n'a fait qu'exaspérer cette dépossession, comme si Marti lui avait dérobé ce mort qui lui appartiendrait... Alors, vous me la vendez?

— Non, dit Cham, je voulais la détruire mais Alex l'a sauvée au dernier moment.

— A la place d'Alex je ne la laisserais pas trop traîner ici, en quelque sorte à votre merci.

— Ne craignez rien, le temps des destructions est passé. Alex l'a sauvée du feu et je m'en réjouis. Maintenant elle ne risque plus rien. Je suis guéri. »

Le poète-criminologiste se lève et s'approche de la toile qu'il caresse du bout des doigts:

« Je la posséderais volontiers. Et savez-vous pourquoi? On dirait qu'elle est restée incarcérée en vous pendant toutes ces années où vous avez écrit. Elle me fait l'effet d'une rescapée de l'incarcération. »

Hier, J. F. le collectionneur et le Dr V. sont venus. Eux aussi ont demandé à monter dans la chambre. Ils sont restés longtemps devant la toile. Ils se sont installés sur le lit en fumant et en buvant du café. Un peu plus tard, Karlsen est arrivé avec Anna, le poète-criminologiste et l'un des commissaires muséologues. Ils se sont tous serrés sur le lit et, jusqu'au crépuscule, ils ont discuté de la toile qui, à mesure que le jour tombait, paraissait devenir blanche comme si seule sa lumière était demeurée clouée au mur. Pendant tout le temps où ils s'étaient incrustés sur le lit, Cham se disait que cette toile n'était qu'un prétexte, que par l'intérêt qu'ils semblaient lui trouver, ils avaient ouvert une brèche par laquelle s'introduire à l'intérieur de sa tête. C'est en toi qu'ils sont maintenant entassés : ils fument, ils boivent du café, ils commentent le trajet de tes premières toiles à cette toile ultime qui, au contraire des incinérations, irradie cette « lumière d'un autre monde » — comme vient de la qualifier le poète-criminologiste.

Le Dr V. est arrivé seul aujourd'hui.
« La machine est prête, leur a-t-il dit. Moi-même, je suis prêt. Je pense avoir réussi à me vendre en Hollande. Mes avocats étudient le contrat par lequel je me fais l'objet à vie de ma machine. Ah, vous ne pouvez imaginer combien je serai pacifié lorsque j'aurai rejoint l'idée, lorsque je serai enfin délivré de moi. »

Il montre les photographies de la machine par laquelle il compte devenir *objet-d'art*, dit-il. Le musée qui vient de faire l'acquisition du Dr V. possède quelques fameux Rembrandt. De se savoir vendu à vie pour être exposé non loin de ces Rembrandt rend le Dr V. fou d'orgueil.

« L'année prochaine à la même date, vous pourrez venir me visiter. Tout sera prêt, la salle aménagée, la machine mise en place, l'inauguration réussie... je dirais plutôt la consécration réussie. Enfin crucifié pour l'Art! A la trappe! L'abjection dans l'art! Entrer dans les latrines de la culture pour régénérer la Beauté. Ce que vous avez tenté par le feu, Cham, je veux le tenter par la déchéance — sublimation de mon pauvre corps en mie de pain. »

XVIII

La neige s'est remise à tomber. De grandes tempêtes secouent la France du nord-est au sud-ouest. A tout moment le ciel change de forme. Toute la matinée des nuages minces se sont étirés sur l'horizon. Puis, peu à peu, l'air est devenu plombé, l'espace s'est rétréci et une lente matière d'un noir violet est descendue sur les collines. Ce n'était pas des nuages mais des accumulations de neige suspendue d'un noir violet, une neige en négatif entassé au-dessus d'Alex et Cham.

« As-tu vu le ciel? » dit Cham.

Ils étaient sortis sur la terrasse et, enfoncés dans la neige, ils se tenaient sous ce ciel qui pendait sur eux comme si une grande poche noire allait d'un instant à l'autre éclater sous le poids de cette matière.

« C'est terrifiant », dit Alex.

Comme assourdi par les épaisseurs accumulées au ras de leurs têtes, il y eut un long grondement qui lentement se perdit vers l'est. Et d'un coup des lambeaux informes et blanchâtres commencèrent à se détacher du plafond obscur. Des morceaux d'une matière molle et gluante qui tombaient autour, sur les buissons, en produisant un bruit de chuchotements humains. Sous le poids de ces lambeaux de neige, les arbustes rapidement surchargés se mirent à ployer jusqu'au sol. Alex fit quelques pas dans l'allée de mimosas, le visage levé vers ces lambeaux blanchâtres, doux et humides, qui fondaient au contact de sa peau mais restaient accrochés à ses cils. Les branches fleuries des grands mimosas écrasés sous le poids de cette neige ployaient devant elle... Et brusquement l'allée fut barrée par les longues branches brisées.

Dans la maison, le téléphone sonnait...

C'est Karlsen: « Ce soir réveillon, nous vous attendons.

— Tu as vu ce qui se passe dehors? dit Cham.

— Raison de plus pour nous réchauffer tous ensemble.

— Nous ne descendrons pas.

— Alors c'est nous qui tenterons de monter. Nous apporterons tout ce qu'il faut. Tu n'as qu'à faire de la place dans ton atelier. Nous réveillonnerons parmi tes tableaux.

— Je doute que vous puissiez passer. »

Cham et Alex ont dégagé l'allée, et ils ont traîné les branches de mimosas, hautes comme des arbres, jusqu'à l'intérieur de l'atelier. Maintenant l'atelier ressemble à une vaste grotte jaune d'or, avec toutes ces branches fleuries, dressées jusqu'au plafond. Les toiles ont été repoussées. Elles sont toutes là, entassées dans l'ombre, sous les retombées de fleurs. Pourquoi cet apaisement, se demande Cham, à la pensée de ce repas de fête, là, parmi tes toiles?... parmi les toiles de ta vie d'avant l'écriture? Depuis que tu t'étais mis à écrire, vous vous étiez réfugiés dans la partie frontale de la maison, abandonnant ton atelier à sa nuit perpétuelle. Et voilà que toutes les portes se sont ouvertes en cette nuit de Nouvel An. L'atelier soudain lumineux, éclairé comme plus jamais il ne l'avait été. Des bougies sur la longue table dressée au centre. Nappe très blanche. Couverts qui brillent. Le poêle est allumé. Te voilà, avec ton amour, dans l'atelier fleuri sous la neige.

Ils vont d'une pièce à l'autre, dans la maison chaude. Ils se croisent et s'enlacent en riant.

Il tient Alex dans ses bras et la garde un moment contre lui. Ils rient émus de découvrir en eux cette même émotion, ce même élan qui les avaient jetés l'un vers l'autre par une nuit de Nouvel An semblable — froide et neigeuse. Une fois pour toutes le temps s'était arrêté... s'est arrêté au moment exact où leurs regards étaient entrés en contact pour la première fois. Depuis, tout s'est confondu dans une spirale immobile qui les emporte hors du temps jusqu'à les confondre si profondément, si intimement que même la parole — si elle n'était ce chant, cet ornement de l'angoisse et de la joie — leur eût été superflue. Les lueurs irrégulières du poêle les éclairent. Leurs yeux scintillent, les bagues et les bracelets d'argent d'Alex scintillent. Un lourd parfum de mimosas tiède les entête. Leurs regards brillent d'une joie intense. Ils s'étreignent, les yeux remplis d'eau claire.

« Mon amour. »

Ils s'éloignent de la table préparée pour le banquet et s'étendent sur le petit divan... comme, il y a de cela bien des années, par un soir de Nouvel An — alors qu'ils attendaient tous leurs amis peintres —, ils s'étaient étendus sur ce même petit divan... Sa peau. Son parfum. Femme à la longue chevelure d'un roux animal, brillant et sombre, elle t'était apparue soudain blanche, d'une éblouissante intensité lumineuse. Elle s'était accoudée et avait posé ses lèvres sur tes paupières, je me souviens, se dit Cham, évoquant ce qu'en même temps ses sens captent. Dans l'atelier doré chargé du

165

parfum de miel des mimosas, Alex et Cham se sont confondus dans un plaisir ensommeillé...

Il entrouvre les yeux. Ils sont dans l'atelier, sur le divan près du poêle. Toutes ces branches dressées contre le mur retombent, alourdies par les fleurs jaunes en grappes. Ils sont tous les deux comme dans une clairière fleurie, observés par... Cham se soulève, écarte les branches, découvre ses tableaux debout contre les murs, ses tableaux d'une vie entière avec toi, mon amour. Le *regard* de ses tableaux sur eux! Et soudain, il prend conscience que ces tableaux ne sont ni du temps ni des surfaces peintes ni des choses à détruire ou à vendre mais des sortes de plaques de sensibilité où est venu s'inscrire ce qui ne peut être dit ni représenté. Et voilà qu'il aime ses tableaux, il aime ses toiles peintes durant ces nombreuses années de solitude amoureuse. Alex s'est redressée sur le divan. Elle regarde Cham. Ils sont dans une clairière du temps et tous les temps de leur vie les regardent...
Calme.
Silence.

Composition Eurocomposition.
Impression S.E.P.C.
à Saint-Amand (Cher), le 21 septembre 1990.
Dépôt légal : septembre 1990.
Numéro d'imprimeur : 2069.
ISBN 2-07-072084-5. / Imprimé en France.